花だより

みをつくし料理帖 特別巻

高田 郁

時代小説文庫

角川春樹事務所

目次

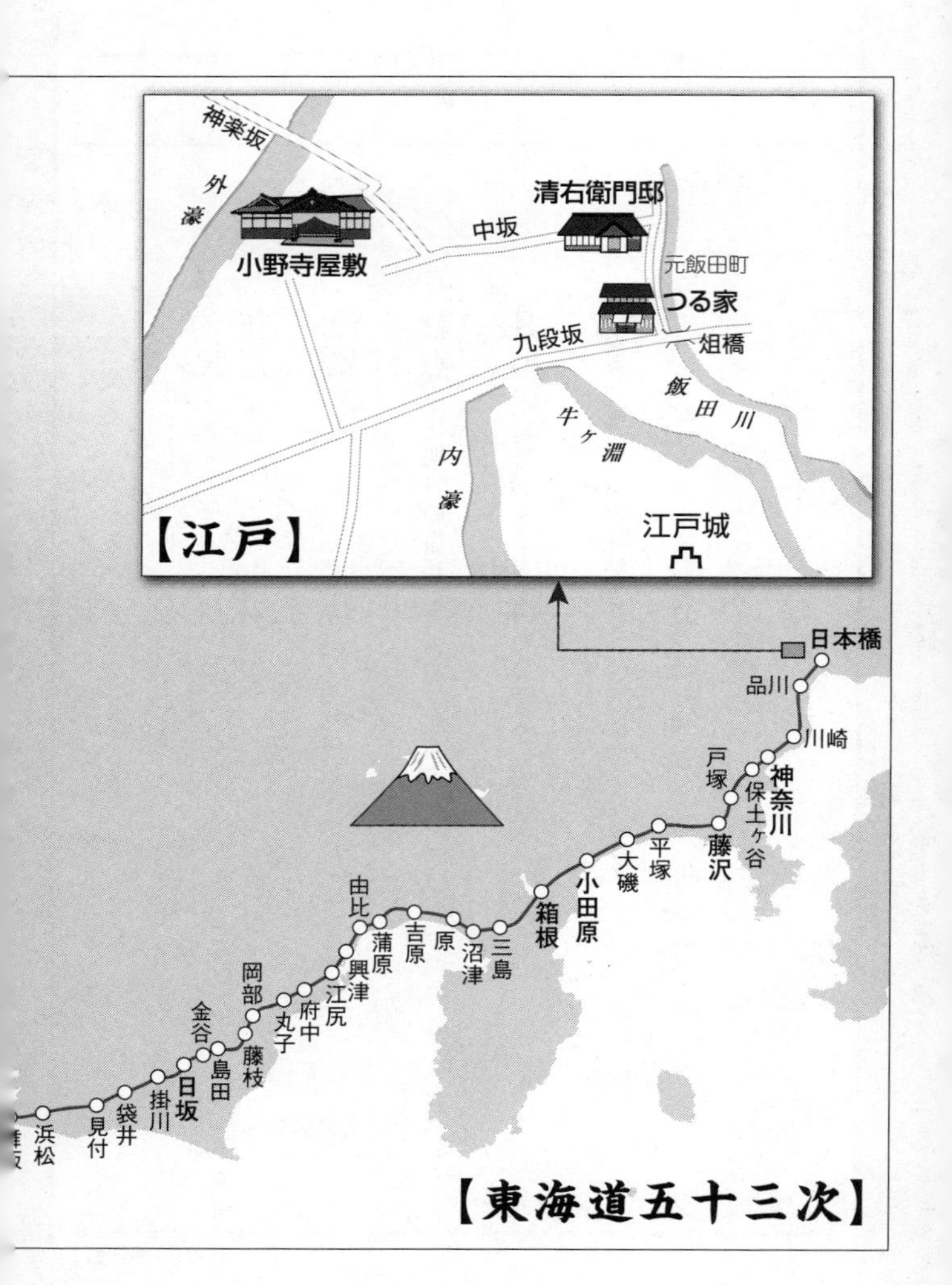

神楽坂
外濠
清右衛門邸
中坂
小野寺屋敷
元飯田町
つる家
九段坂
俎橋
飯田川
牛ヶ淵
内濠
【江戸】
江戸城
日本橋
品川
川崎
神奈川
保土ヶ谷
戸塚
藤沢
平塚
大磯
小田原
箱根
三島
沼津
原
吉原
蒲原
由比
興津
江尻
府中
丸子
岡部
藤枝
島田
金谷
日坂
掛川
袋井
見付
浜松
【東海道五十三次】

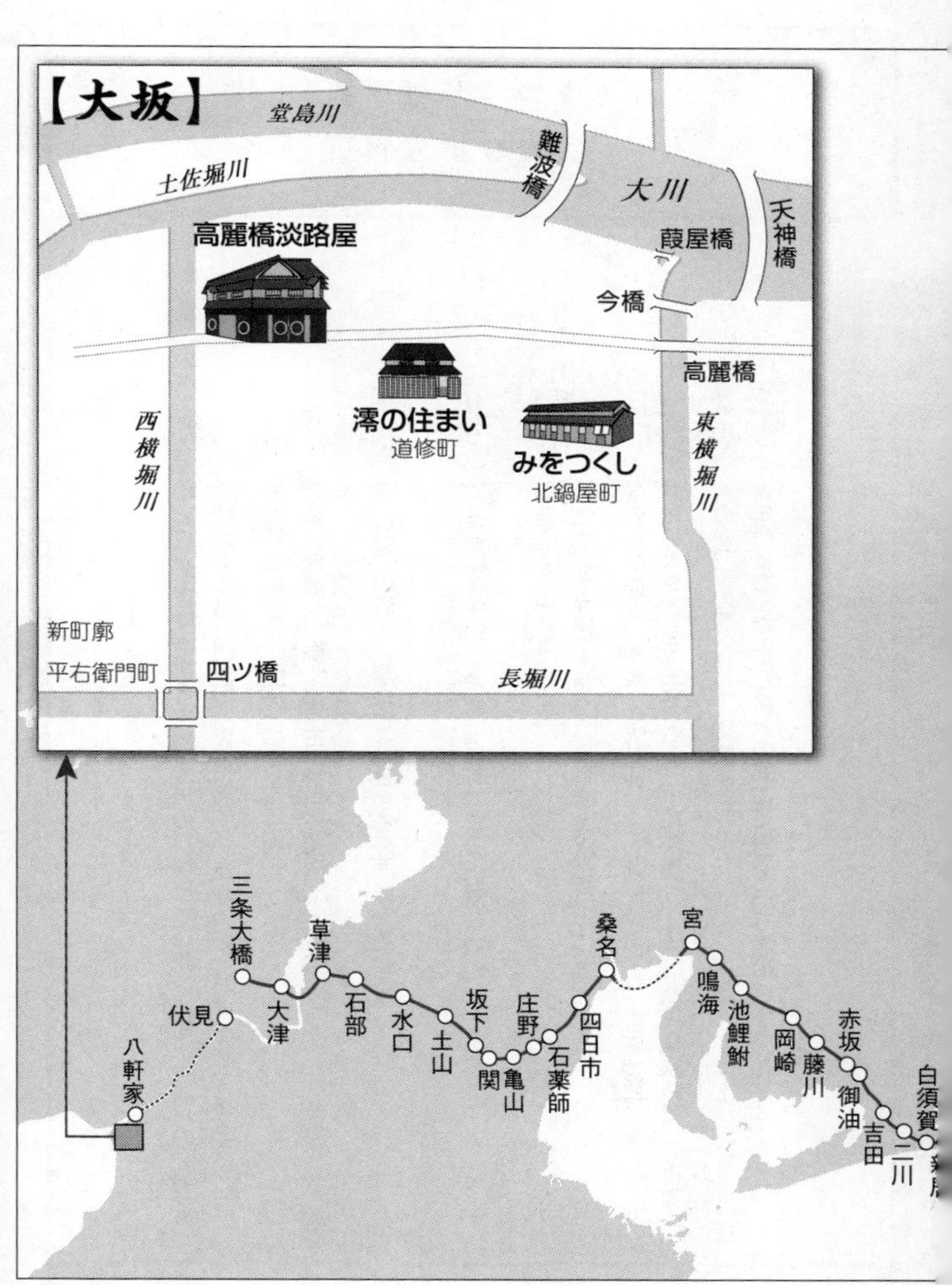
【大坂】
堂島川
土佐堀川
難波橋
大川
天神橋
葭屋橋
今橋
高麗橋
高麗橋淡路屋
澪の住まい
道修町
みをつくし
北鍋屋町
西横堀川
東横堀川
新町廓
平右衛門町
四ツ橋
長堀川
三条大橋
草津
伏見
大津
石部
水口
土山
坂下
関
亀山
庄野
石薬師
四日市
桑名
宮
鳴海
池鯉鮒
岡崎
藤川
赤坂
御油
吉田
二川
白須賀
八軒家

地図・河合理佳

『みをつくし料理帖』

主な登場人物

澪
幼い日、水害で両親を失い、大坂の料理屋「天満一兆庵」、江戸の「つる家」で修業を重ね、四年前に大坂に戻って自身の店で料理の腕を振るう。

芳
もとは「天満一兆庵」のご寮さん(女将)。
老舗料理屋「一柳」の店主・柳吾の後添いとなる。

種市
「つる家」の店主。澪に亡き娘・つるの面影を重ねる。

りう
「つる家」を手伝う老婆。自称「つる家の看板娘」。

永田源斉
御典医・永田陶斉の次男。
澪と大坂で所帯を持ち、医師として活躍している。

野江
澪の幼馴染み。水害で澪と同じく天涯孤独となり、吉原「翁屋」であさひ太夫として生きていた。大坂へ戻り、生家「高麗橋淡路屋」を再建。

小野寺数馬(小松原)
澪のかつての想いびと。御膳奉行。
六年前に娶った妻・乙緒との間に、悠馬という名の一子あり。

花だより
みをつくし料理帖 特別巻

花だより——愛(いと)し浅蜊(あさり)佃煮(つくだに)

ああ、お澪坊だ。

お澪坊が俺を呼んでいる。

俺ぁここだ、ここに居るぜ、お澪坊。

もう四年も会えてねぇから、俺の顔も忘れちまったんじゃねぇのかよぅ。

「お澪坊よぅ」

自分の声に、種市は驚いて飛び起きた。

灯火はないが、障子越しの月明かりで室内は仄明るい。枕もとに煎じ薬用の薬缶と湯飲み茶碗、それに綿入れ半纏がきちんと畳んで置かれている。柔らかな煮炊きの匂いの漂う、そこは確かに住み慣れた「つる家」の内所に違いなかった。

やれやれ、と頭を振り、敷布団の上で胡坐をかく。

「とうとうお澪坊の夢まで見るようになっちまったのかよぅ」

年が明けて、七十四になった。老いの自覚はそれなりにあったが、料理番付にも名前の載る料理屋「つる家」の店主を務める身、老け込む暇などない。だが、半月ばかり前に風邪を引き込み、身体が弱っていたところへ、どうにも気の滅入る出来事があった。

周囲に話せば、心配をかけるだけだ。つる家のもと料理人で、娘同然の澪になら、こっそり打ち明けても良い、と思っていた。だが、その澪は四年前に大坂へ戻ってしまっている。

「俺ぁ、一体、どうなっちまうんだ」

種市は胡坐のまま前のめりになって、深々と息を吐きだした。

僅かな襖の隙間から、じゅっという音と醤油の焦げる芳ばしい匂いとが忍んできた。暖簾を終ったあとの調理場で、料理人の政吉が夜食を拵えているのだろう。いつもなら心躍るはずが、今はどうにも哀しくてならない。

「俺ぁ……俺ぁ……」

どうしたものか、と再度、切なげに吐息をついた時だった。閉じた襖越しに、旦那さん、と優しい呼び声がした。

ああ、ありゃあ、ふき坊だ。夜食を運んできたに違いない。そう思うや否や、年寄りとも思えぬ素早さで布団に横になると、頭から夜着をすっぽりと被った。

閉ざされていた襖が横にすっと開いて、若い娘が再度、旦那さん、と遠慮がちに呼んだ。種市は黙って寝た振りを続ける。

「無理に起こすことはありませんよ、ふきちゃん。風邪は寝るのが一番の薬ですから、そのまま寝かせといておやりなさい」

ふがふがした老女の声、あれはお運びのりうのものだ。

「旦那さんの風邪、今度のは長患いだねぇ」

大丈夫かねぇ、と心配そうに話すのは、同じくお運びのおりょう。一人息子の太一が絵の修業に入り、亭主の伊佐三は親方の跡を継いで泊まりの大工仕事も多い。亭主が留守の時はああして最後まで店を手伝ってくれる。

「熱いうちに食って元気をつけてもらいたかったんだが、まぁ仕方ねぇな。ふき坊、そのまま下げちまいな」

冷めねぇうちに皆で食っちまおうぜ、と告げているのは、政吉だ。

「健坊、健坊、戸締りなら私がやっとくから。お前の好きな牡蠣の殻焼きだよ、早くおいで」

どすどすと地響きを立てて、ふきの弟を呼びに行くのはお臼、政吉の女房だ。

再び閉じられた襖の向こうで、つる家の奉公人たちのささやかな宴が始まろうとしていた。

そうか、牡蠣の殻焼きか、と夜着にくるまったまま、種市はぼんやりと考える。好物の牡蠣の殻焼きをあと何回くらい食えるのだろうか、と。

「俺も焼きが回っちまった」

呻き声を洩らして、種市はがばと半身を起こした。陰気臭いのが人一倍嫌いなはずが、どうにも湿った考えが頭を離れない。

畜生め、たかが占いなのによぅ、と老人は両の手をぎゅうっと拳に握った。

話は三日前に遡る。

文政五年（一八二二年）、閏一月十五日のその日、種市は早朝に店を出て、上野宗源寺へと向かった。できる限りきちんとしよう、と老骨に鞭打って、伸び放題だった無精ひげを剃り、月代を整え、着物も替えた。十五日はひとり娘だったおつるの月忌にあたる。

まだ本復していない重い身体を引きずるようにして寺門を潜る。墓石代わりの小さな地蔵に手を合わせ、日々のあれこれを報告すれば、妙に気分がさっぱりと落ち着いた。墓参を終えて、皆への土産に蓮飯を買い求め、上機嫌で懐に収めて帰り道を急ぐ。

化け物稲荷の前まで戻ったところで、境内の入口にひとが倒れているのを見つけた。

煤竹色の綿入れ羽織に同色の角頭巾、町人らしき風体の男は苦しげな唸り声を洩らしている。

「おい、大丈夫かい？」

駆け寄って助け起こしてみれば、古稀前後と思しき、枯れ木の如く痩せ細った老人だった。生気のない皺だらけの顔を種市に向けて、お助けくだされ、お助けくだされ、と片手で拝む仕草を見せた。同じ老いの身、見捨てておける道理もない。

「待ってな、今、医者を呼んで来るから」

口早に告げて離れかけた種市の着物の襟を捉えて、老人は弱々しく訴える。

「実はここ三日ほど、何も食うておらんのです。どうにも腹が減って腹が減って」

「そいつぁ……」

気の抜けた声で応じて、種市は男の脇にどすんと座り込む。その勢いで、竹の皮で包んだものが懐からひょいと覗いた。

化け物稲荷の狭い空を、一羽の雲雀が楽しげに囀りながら、高く低く飛ぶ。雲雀ごと春天に網をかけるように、楠が瑞々しい緑色の葉の茂った枝を伸ばしていた。麗らかな情景に身を置きながら、少しも気を取られることなく、男は竹皮の包みに顔を突っ込んで飯を貪り食っている。

「おいおい、喉に詰まるといけねぇから、もっとゆっくり、よく噛んで食いな」

種市は水筒を手に、はらはらしながら男に声をかけた。近くの辻番で水を分けてもらってきたのだが、その到着を待つまでに、男は三合分はあった蓮飯のほとんどを食べ尽くしていた。

蓮葉の時季を外した今の蓮飯は、乾物の蓮の実を戻し、糯米に混ぜて蒸しあげた強飯だった。蓮の実も強飯も、喉に詰まりやすい。

「ごほ、ごほ」

案の定、老人は激しくむせ始めた。

「ほら、だから言わんこっちゃない」

種市は男の背中をとんとんと叩き、青竹の水筒を差しだした。

水を飲んで何とか痞えたものが胃の腑に落ちたのだろう、男は両の眼を閉じて空を仰ぎ、ほっと安堵の息を吐いた。

「お陰様で命拾いしました」

老人は地面にきちんと座り直すと、この通りです、と種市に向かって深々と頭を下げた。

「困った時は相身互いってやつだ。けど、お前さんも若くはねぇ、無理はよしなよ」

それだけを言って、立ち去りかけた種市を、相手は慌てて呼び止める。

「待ってください。何ぞお礼をせんことには、罰があたってしまいますよって」

老人の言葉遣いや声の上がり下がりに妙な懐かしさを覚えて、種市は足を止める。

「お前さん、出は大坂かい？」

「わかりますか。焦るとつい、くに訛りが出てしまいまして」

照れたように笑うと、男は立ち上がって種市と向かい合った。

「改めまして、私は水原東西と申す者。大坂では主に顔相、手相を見ておりました」

はて、どこかで聞いたような名だな、と思いつつ、種市は相手をじっくりと眺めた。角頭巾という被り物は医者や俳人によく好まれるが、易者と言われれば、そう見えないこともない。

大坂の易者が何故江戸へ、との問いかけを、しかし種市は呑み込んだ。食い詰めて倒れるまでには、言うに言えない事情があったのだろう。

ここは澪と初めて出会った化け物稲荷、しかも今日は十七で逝った娘の月忌だ。この日、この場所で、大坂から流れてきた易者を助けた、という事実に種市は不思議な縁を覚えた。

「それじゃあ、蓮飯の礼に俺を占ってくれるとでも言うのかい？」

「是非に」

　易者は腕を伸ばして種市の両の手を取り、掌を片方ずつ、丹念に丹念に眺めた。次いで息がかかるほど顔を寄せて、目や鼻、口、耳のそれぞれの形や黒子の位置などを具に見入った。その表情が徐々に険しくなっていく。

　蓮飯の礼なのだから良いことしか言われないだろう、と踏んでいた種市だったが、易者の様子が妙に気になる。

「おいおい、一体、どんな卦が出たんだい」

「いや、それは……」

　言葉を濁して、易者はもう一度、種市の手相を確かめる。顔を近づけたり離したりしたあと、重い息を吐くと、

「これは私がいけなかった。占いは無し、ということにしておきましょう。お礼も出来ずに申し訳ない」

　と詫びて、浅く辞儀をした。

　ではこれで、と去りかける易者を、今度は種市が止めた。

「ちょいと待ってくれ。そんな物言いをされて、気にならねぇ奴はいねぇぜ。勿体つけないで、ちゃんと最後まで教えてくんな」

種市の言葉に、易者は目を伏せてじっと考え込んだ。長い逡巡のあと、では、正直に申し上げよう、と視線を再び恩人へと向ける。

「今年の花見は上々、けれど、来年の桜を見ることは叶いますまい」

「…………」

すぐには易の意味が理解できずに、種市は相手の萎びた顔をただぽかんと眺める。易者は済まなそうにすっと目を逸らした。

来年の桜を見ることは叶わない。

来年の、と口の中で繰り返し、種市ははっと息を吞む。

その意味するところを正しく理解した瞬間、雲雀の鳴き声が消え、早春の情景から彩が抜けた。

「そいつぁ、つまり……」

よもや、こんな形で残りの寿命を知ることになるとは思いも寄らない。たかが八卦、と頭ではわかりながら、ぞくりと悪寒が走った。

種市の動揺を見て取ったのだろう、申し訳ない、と易者は再び頭を下げた。

「あまりにも正直に言い過ぎました。しかし、卦というものは」

水原東西と名乗った男は、さらに何かを伝えようとしたのだが、種市は広げた掌でそれを強く制し、逃れるように化け物稲荷を出た。

「お待ちなされ、話にはまだ続きが」

背後から焦り声が追ってきたが、立ち止まることも振り返ることもしなかった。

もとより娘おつるを喪(うしな)った時から、自分が死ぬるのを恐ろしいと思ったことは、ただの一度もない。七十四、という齢(よわい)を考えれば、易者の台詞(せりふ)は「さもありなん」と合点がいった。大したことではない、とよくよく自身に言い聞かせるのだが、動揺は増すばかりだ。

何処(どこ)をどう歩いたか、覚えもないまま、気が付けば俎橋(まないたばし)を渡り終えていた。どうにも疲れていた。

「あ、旦那さん、お帰りなさい」

つる家の勝手口の前に立った時、調理台で烏賊(いか)に包丁目を入れていたふきが振り返った。その襷(たすき)の純白に眼を射られ、種市の足もとが揺らいだ。

「危ねぇ」

煮汁の味を見ていた政吉が、慌てて腕を差し伸べて、店主を抱き留めた。

「顔色が真っ青だ。風邪がぶり返したに違ぇねぇぜ」

ふき坊、医者だ、との政吉の台詞が終わらないうちに、ふきは勝手口を飛び出していく。地面を打つ下駄の音が、やけに大きく響いていた。

　種市の不調を知らされて、その日の夕方には芳(よし)が訪ねてきた。齢を重ねて髪に白いものが増えたが、大粒の珊瑚(さんご)のひとつ玉の簪(かんざし)がよく似合う。相変わらず背筋の伸びた、名料理屋「一柳(いちりゅう)」の女将(おかみ)らしい気品の持ち主だ。

「旦那(だん)さん、お加減はどないだすか？」

　薄紅の風呂敷(ふろしき)を開いて、芳は重箱を取り出した。蓋(ふた)を開けると、黄金色の金柑(きんかん)がぎっしり詰まっていた。種市の風邪が長引いている、と聞いて、亭主の柳吾(りゅうご)が持たせたという。

「政吉さんに蜜煮(みつに)にしてもろてください。滋養になりますよって」

「心配かけて済まねぇな、ご寮(りょん)さん。一柳の旦那にも宜(よろ)しく伝えてくんなよ」

　種市は半身を起こして、芳に頭を下げた。

　芳は以前、つる家でお運びをしていた時に、日本橋柳町(やなぎちょう)の料理屋「一柳」の店主と出会い、後添いにおさまった。もとは大坂の出で、「天満一兆庵(てんまいっちょうあん)」の女将だった、という下地もあり、息子の佐兵衛(さへえ)とともに、柳吾をしっかりと支えている。また、水害で孤児になった澪を救い、母親にも似た愛情を注ぎ続けた人物でもあった。

「それはそうと、ご寮さんよぅ」

病人は打ち明け話でもするように、声を落とす。

「お澪坊からの文が今年はまだ届かねぇんだ。源斉先生と二人、元気にしてるんだろうか」

大坂の澪から種市のもとへは、必ず年に一度、あちらでの様子を綴った長い文が届けられることになっていた。大坂と江戸との文の遣り取りは、飛脚の「並便」と呼ばれるものを使えば値段は銀三分と手頃だが、届くまでに二十五、六日ほどを要する。年明け早々、梅の花がほろりと咲く頃に届くこの文を、種市は密かに「花だより」と呼んで、首を長くして待つのだ。澪に関わった誰もが、その便りを読むことを楽しみにしているのだが、今年はまだ届いていなかった。

「『無沙汰は無事の便り』いう諺もおます。ひとりで料理屋を切り盛りしてますよって、忙しいにしてるだけやと思います」

種市のざわついた気持ちを汲んだのだろう、芳はその不安をきっぱりと打ち消し、さらに、笑みを浮かべて優しく言い添える。

「閏月とはいえ、まだ睦月のうちだす。そろそろ届く頃と違いますやろか」

芳の言葉に慰めを得て、そうだな、と種市は応じた。長居は禁物、とばかりに腰を浮かせた芳のことを、種市はふと、引き留めた。

「ご寮さん、その昔、お澪坊のことを『雲外蒼天』て占った易者のこと、覚えてるかい？」

勿論、よう覚えてます、と深々と頷いてみせる芳に、病人はさらに問いを重ねる。

「よもや、名前までは覚えちゃいねぇよな」

「いえ、『よう当たる』て有名な易者はんだしたよって」

芳は応えて、記憶の引き出しを探っている表情を見せた。

「……確か、そう、水原東西いわはるおかただした」

刹那、種市には、白い面布を顔に掛けられて横たわる己の姿が見えた気がした。

牡蠣殻を片付ける、かしゃかしゃ、という賑やかな音が襖の向こうから聞こえていた。夜食を済ませて、通いの奉公人らが帰り仕度を始めた様子だった。

ああ、俺ぁ駄目だ、もう駄目なんだ。

三日前の芳との遣り取りを思い返し、握り拳を口にあてがい、種市は呻き声を押し殺す。

道理でその名に聞き覚えがあったはずだ。二人の少女の運勢——澪の「雲外蒼天」

と野江の「旭日昇天」をぴたりと言い当てた易者だったのだ。

あの世でおつるが待っていると思えば、死そのものは怖くない。怖くはないはずが、胸に宿るこの寂寥は度し難かった。それはおそらく、この世への未練に違いない。もしも寿命が尽きたとして、一番の気掛かりはつる家、娘の名をつけたこの店だ。だが、それも、政吉お臼夫婦が引き受けてくれるだろう。あの夫婦ならお客を大事にして、店をしっかり守っていってくれる。そしていずれは、ふきと健坊とに跡を継いでもらう。おつるの名は店とともに残っていくだろうから、最早、心残りはない。いや、と種市は首を左右に振った。心残りなら、ひとつ、大きなものが在った。

おつるの生まれ変わりのように思っていた澪。その澪の幸せをまだ見届けていない。澪が江戸を発つ朝、別れが辛くて見送ることもしなかったが、大坂でどんな街に住み、どんな店を持ち、源斉とどう暮らしているのか。眉を下げて困っていないか、誰かに嫌がらせを受けていないか。朗らかに笑って毎日を過ごせているのか。

考えてみれば、律儀な澪のことだ、どれほど忙しくとも、便りを書くのを忘れるわけがない。身体を悪くして臥せっているのではないか。あるいは源斉に何かあったのでは……。次から次へと悪い考えが浮かんで消えることはない。

「どうして大坂みてぇに遠いとこへ行っちまったんだよぅ」

低く呻吟して、種市は布団に突っ伏した。

つる家の表格子に「三方よしの日」と墨書された紙が貼られているのを見て、九段坂下を行き交う者たちが、おっ、と嬉しそうに足を止めた。頃合いを見計らい、りうが店の表に出て、高らかに両手を打ち鳴らす。

「さあさ、今月最後の三方よしは、鱵尽くしで決まりでござい、刺身に天麩羅、酢の物、皮はくるりと串に巻き、軽く炙れば天下一」

齢八十三の看板娘の名調子に、涎を拭う素振りをする者が後を絶たない。

「堪らねぇぜ、早く食わしてくんな」

口々に言って、お客たちは連なって暖簾の奥へと吸い込まれていく。

つる家では、三日、十三日、二十三日、と三の付く日にだけ、七つ（午後四時）から酒を出す。「三方よしの日」と名付けられたこの決まりは、料理人が澪から政吉になっても、変わらずに守られていた。

「こんなところから済みません」

常客の坂村堂が、戯作者清右衛門を伴って、勝手口に姿を見せたのは、六つ半（午後七時）過ぎ。一階も二階もお客で埋まり、畳が冷える気配もなかった。

「板敷で良いんです。こちらで呑ませて頂けませんか？」

泥鰌ひげを蓄えた版元は、そう言って政吉を拝んでみせる。背後に、今ひとつ元気のない戯作者が控えていた。

襖一枚隔てた内所では、店主が臥せっている。政吉は少し迷ったものの、常客の頼みを無下にも出来ず、「どうぞ」と応じた。

「清右衛門先生、今夜はたっぷりお召し上がりください」

調理場の板敷に陣取り、坂村堂はちろりを傾けて、相手の盃に熱い酒を注ぐ。

「清右衛門先生に今、必要なのは息抜きでございますよ。日がな一日、文机の前に座っていては、良い考えも思い浮かびませんから」

「どの口が言うか。二六時中、原稿を催促しおってからに」

清右衛門は、血走った眼で版元を睨みつけ、盃を一息で干した。

「坂村堂よ、これ以上は無理だ。もう何も書く気にはなれぬ。否、最早、何も書けぬのだ。わしは戯作者の看板をおろす」

がしゃーん、と派手な音が調理場に鳴り響いた。下げてきたお膳を落として、りうが目を剝いている。驚きの余りか、普段は二つ折れの背中が、見事に反っていた。

「清右衛門先生、そりゃあ一体どうしたわけです。あたしゃ、先生の犬の物語を楽しみにしてるんですよ。あの続きを書かずに筆を折る、と仰るんですか」

老女に縋られて、清右衛門は腹立たしげに板敷を立った。

そのまま出て行こうとする戯作者に、政吉が、

「お帰りになられるんで？　じきにこいつが焼き上がりますぜ」

と、示した。串に巻かれた鱵の皮が、じりじりと鳴り、脂が滴り落ちている。

「厠じゃ、厠へ行くだけじゃ」

すぐに戻る、と額に青筋を浮かべて怒鳴ると、清右衛門は土間を踏み鳴らして、勝手口から外へ出て行った。

「俺ぁ、煩くて寝てられねぇよぅ」

内所の襖を開けて、種市が青ざめた顔を覗かせる。

坂村堂は慌てて板敷を下り、病人の方へと駆け寄った。

「臥せっておられるところ、申し訳ない」

「それより、一体、清右衛門先生はどうしなすったんですかい、坂村堂さん」

種市に問われて、版元はくよくよと頭を振り、内所の上り口に腰を下ろした。

「実は、ひと月ほど前に、清右衛門先生の恩人が急逝されまして……」

版元の工程の最後、表紙掛けや糊付け、あるいは糸綴じなどの装訂を手掛ける職人

で、まだ無名だった清右衛門のことを陰に陽に励まし続けたひとだった、とのこと。

「誰しも、雨降りの時に傘を差しかけてくれたひとを忘れないものです。清右衛門先生にとって、そのひとこそが、最も恩に報いたい、と願う相手だったのでしょう。以来、先生は全く書けなくなってしまわれたのですよ」

調理場に居合わせた者は皆、大事な誰かの死を経験している。政吉以外は動きを止めて、三方よしの忙しさが一瞬、止まったようだった。

ああ、そうだ、と坂村堂は言って、懐から折り畳んだ紙を徐(おもむろ)に取り出した。

「病床のご店主の慰めになれば、と思い、こんなものをお持ちしました」

慎重に開いたものを見れば、一枚の刷り物、名所を描(か)き込んだ絵図のようだ。

「坂村堂の旦那、こいつは一体……」

「これは『東海道名所一覧』と言って、絵師の辰政(ときまさ)先生の作品です」

辰政の名を耳にして、おりょうが、あっ、と声を洩らした。おりょうの息子の太一は、その辰政に絵の才を認められ、弟子入りを果たしたのだ。

「旦那さん、坂村堂さん、あとで、あたしにも見せてもらえませんかねぇ」

遠慮がちに頼むおりょうに、構いませんよ、と坂村堂はにこにこと頷く。

「おりょうさんの息子さんも、いずれ、こんな作品を手掛けるかも知れませんね」

楽しみですねぇ、とおりょうに伝えたあと、版元は種市に向き直った。

「双六みたいに見えますが、江戸から京までの旅路が描かれているのですよ。澪さんも、ここを通って大坂に行かれたのです」

坂村堂の説明を受けて、そいつぁ、と種市は身を乗りだした。

箱根、岡部、掛川、岡崎、桑名、と種市は夢中で指でなぞる。お澪坊はこんなところを、と感嘆の声が洩れた。

「大坂は出版が盛んで、版元も多いんですよ。だから実は私も、幾度か足を運んでいますが、ご店主は、東海道を歩かれたことは？」

「品川宿までなら。けど、それも、悪さをしてた若い時分の話でさぁ」

もう賭場やら岡場所やらにとんと縁もねぇんで、と答えて、種市は西へ西へと指を進める。名所一覧は京の三条までで切れているため、その先は夢想するしかない。

「大坂かぁ、どんなとこなんだろなぁ」

澪がよく話して聞かせてくれた天神橋、天満天神社、四ツ橋、それに新町廓、と思いかけて、こいつぁいけねぇ、と種市は軽く首を振った。

「そう言えば、澪さんは大坂の、確か、北鍋屋町というところで料理屋を開かれていましたねぇ」

ふいに坂村堂から澪の話題を振られて、種市は刷り物から顔を上げる。自然と口もとが緩んだ。

「御台所町、俎橋ときて、今度は鍋屋。よっぽど料理と縁が深いんでさぁ」

「お店の名は『みをつくし』でしたね」

澪さんの料理、また食べたいものです、と坂村堂はしんみりと言い添えた。

料理番付で初星を取った「とろとろ茶碗蒸し」を始め、澪が生み出した数々の料理は、政吉により忠実に受け継がれている。ただ、料理には料理人自身の醸し出すものが必ず隠れているし、政吉には政吉にしか、澪には澪にしか出せない味わい、というのはある。

ああ、そうさね、と種市は思う。

この時季なら、浅蜊の御神酒蒸しだ。

誰が何て言おうと、お澪坊の作る浅蜊の御神酒蒸しに決まりだぜ。

おつるを死に追いやった男を殺しに行こうと心を決めた時、澪が作ってくれた浅蜊料理。柔らかな湯気と下がり眉の娘を思い出すと、種市の双眸はふっと潤んだ。

花だよりはまだ届かないが、源斉とふたり、夫婦そろって元気で居てくれたら、それで良い。元気でさえ居てくれたら、それで。

「けど、やっぱり会いてぇなぁ」

胸のうちで呟(つぶや)いたはずが、声が洩れていた。

ええ、と深く頷いて、坂村堂は目を瞬(しばたた)く。

「お気持ちは重々。ですが、実際のところ、大坂は遠いですし、店を持っていれば、そんなに長く江戸を離れられませんでしょうねぇ」

「この戯(たわ)け者(もの)どもが」

唐突(とうとつ)に、罵声(ばせい)が調理場に響き渡った。見れば、首から上を朱に染めて、清右衛門が仁王立ちになっている。

「真実、会いたいのなら、さっさと会いに行けば良いのだ。それを遠いだの店がどうだの、と見苦しい言い訳をするな」

「け、けどよぅ」

弱々しく、種市は抗(あらが)ってみせる。

「俺はもう七十四、無事に大坂に辿(たど)り着けるかどうか」

「言い訳は聞かぬ、と申しておる。そのうち、そのうち、と思う間に、ひとの寿命など尽きてしまう。その理が何故わからぬのか。愚か者めが」

清右衛門は病人を怒鳴りつけると、坂村堂、と版元を大声で呼んだ。大股(おおまた)でその傍(そば)

に歩み寄り、ばんっと派手な音を立てて畳に右手をつく。

「わしは大坂へ行くぞ」

「えっ」

坂村堂は狼狽えて、おろおろと戯作者に取り縋った。

「清右衛門先生、どうしてそんな話になるのです？　つる家のご店主ならまだしも、先生が大坂に行かれる理由などな」

「やかましい」

版元の言葉を途中で遮って、戯作者は、

「わしはあの女料理人と、料理のことで或る約束をしておるのだ。それを果たしてもらうため、大坂へ行く」

と言い放った。

そして、呆然としている皆を見回し、清右衛門は最後に種市に視線を止めた。

「お前が同行を望むなら、連れて行ってやらぬこともない」

明日までによくよく考えておくことだ、と言い置いて、清右衛門は帰ってしまった。

東海道五十三次。

足腰は日に日に弱り、身体も相当にがたついている、そんな年寄りの足で果たして歩き通せるのか。

深夜、種市は広げた刷り物に目を落として、くよくよと考え込む。

箱根山に大井川、旅路の半ばまでですら、大きな難所がある。難所を越えきれずに、旅の途中で万が一にも寿命が尽きたらどうなるのか。

――今年の花見は上々、けれど、来年の桜を見ることは叶いますまい

耳の奥に水原東西の声が蘇る。

待て、何か引っかかる、と病人はふと顔を上げて天井に目をやった。

来年の桜を見ることは叶わずとも、今年の花見は出来る。本当に易が当たるとしたら、少なくとも今年の桜が終わるまで、まだ寿命はあることになりはしまいか。

前に置いた名所一覧に、種市はもう一度、目を落とす。難所ばかりではない、不慣れな土地での急な病、事故、追剝にだって出くわすかも知れない。旅には危険がつきものだ。けれど……。

悶々としていた心に、一条の光が射し込む。

そうとも、水原東西は大した易者なのだ。苦労続きだったお澪坊の運勢も、易の通りに報われた。その偉大な易者に、今年の花見の時季までに死ぬことはない、と確か

に請け合ってもらったようなもの。

つまりは、この春のうちなら……。

そうだ、こうしちゃぁいられねぇぜ、とばかりに、種市はすっくと立ち上がった。

俺ぁ行く。行くぜ、大坂に。

お澪坊に会えないまま死ぬるなんぞ、辛抱ならねぇ。どうあっても、幸せな暮らしぶりをこの目で確かめるのさ。そうとも、俺ぁ会いに行く。会いに行くぜ。

そう繰り返して、種市はひとり、内所をぐるぐると回り続けた。

翌日、種市が大坂行きを表明すると、坂村堂もその場で同行を決めた。弥生のうちに大坂へ着きたい、との種市の強い希望を受け、坂村堂が東奔西走して旅の手配をし、如月二十日に江戸を発つことが、慌ただしく決まったのだった。

「俺、やっと包丁を研がしてもらえるようになったんだぜ。面直しも教えてもらった。けど、包丁を使って料理させてもらえるようになるまで、まだまださ」

早朝の調理場で、健坊の声がしている。

世継稲荷で水をもらって戻った種市は、勝手口の手前で、おや、と足を止めた。

通いの奉公人たちはまだ来ておらず、ふきは化け物稲荷の掃除に行っている。健坊は一体、誰と話しているのか。気になって中を覗けば、板敷に並んだふたつの背中が見えた。

一人は健坊、もう一人はおりょうの息子の太一だった。

ともに十五歳。政吉の下で料理人の道を歩き始めた健坊と、辰政の弟子になり絵の道へと進んだ太一とは、今もとても仲が良い。

「うん、そうだな、腐らないようにしないとな。太一だって頑張ってんだもんな」

なぁ、と健坊は太一に肩をぶつけて朗笑した。太一も身体を揺らして笑っている。口のきけない太一は身振り手振りで考えを伝え、健坊もそれをよく理解する。この二人はきっと互いに爺さんになっても、ずっとこんな付き合いをするだろう。そう思うと種市は胸の奥がじわじわ温かくなる。

おっといけねぇ、鼻水が出てきちまった、と袖で洟を拭く。その気配に二人は揃って振り返った。

弾かれたように立ち上がる二人を、良いから良いから、と種市は手で制する。

「太一坊、辰政先生から何か用でも頼まれたのかい？」

「そうじゃないんです。太一が旦那さんに渡したいものがあるって」

ほら、太一、と健坊に促されて、太一は傍らに置いていた紙を取り上げて種市に差しだした。

「何だい？　俺にくれるのかい？」

受け取って慎重に開いてみれば、かなり大きな一枚の絵だった。見るなり種市は息を呑み込んだ。

墨一色で緻密に描かれているのは、店主と奉公人一同、戯作者と版元、一柳の主夫婦と佐兵衛、弁天様の美緒と爽助と美咲と赤ん坊、伊佐三・太一親子、それに辰政。つる家の表、店主を真ん中に全員が揃って笑っている。おそらく澪の知るより少しずつ老けたり、成長したりしている今の姿だった。

「お澪坊への良い土産になるぜ」

揺れる声で言って、種市は袖口で今度は両の目を覆った。

朔日の初午を過ぎると、気が急いて仕方がない。

今、皆の専らの話題は、大坂の澪に何を土産にするかであった。

「私はもう決めてあるんです」

調理場の板敷で旅の打ち合わせをしていた坂村堂が、泥鰌ひげを撫でながら言った。

「清右衛門先生に真似されたくないので、まだ内緒なんですが」

ご店主はどうなさいます、と水を向けられて、種市はにやりと笑った。

「俺もとうに決めてあるんですがね、やっぱり内緒なんで」

その遣り取りを耳にしたお臼は、器を洗う手を止めて、太い息を吐く。

「あたしゃ全然決められませんよ。あれもこれも澪ちゃんに届けたい、と思うものの、持ってくひとのことを考えたらねぇ」

お臼の横で布巾(ふきん)を濯(すす)いでいたりうは、歯のない口を窄(すぼ)めて黙って聞いている。

「太一ちゃんの絵のように、軽くて嵩張(かさば)らないのが一番だと思うんですよ。そうなると、やっぱり浅草海苔(あさくさのり)ですかねぇ」

どう思いますか、りうさん、と水を向けられて、りうはにっと歯茎を見せた。

「あたしゃ、提灯(ちょうちん)にするつもりですよ」

「何だ、提灯だ?」

意外な回答に、板敷の種市が身体ごと老女へと向き直った。

「確かに軽いし嵩張らねぇが、そんなもんが土産になるのか?」

「小田原(おだわら)提灯の上等なものに、澪さんの店の名前を入れてもらおうと思ってます」

低い鼻を高くして、りうが得意げに言った。

「ああ、なるほど」

感嘆の声が重なり、流石りうさんだ、と口をそろえて誉めそやしたところで、はてな、と種市が首を傾げた。

「しかし、この辺りに小田原提灯を扱う店があったかねぇ」

「ありゃしませんよ、小田原で買うんです」

りうは澄まして応えた。その言葉の意味がわからず、三人は互いに視線を合わせた。

ふいに、種市は思い出す。りうは湯治が好きで、日光の湯元にも平気で出かける。流石に箱根を越えた話は聞かないが、小田原はその手前だ。もしや、と嫌な予感がしていた。

店主の胸中を知ってか、りうは布巾を放すと、さり気なく言葉を補った。

「孝介があたしを箱根湯元に湯治に連れてってくれるっていうんですよ。ただ、口入屋の方が忙しいので、あたしだけ先に出て、小田原で孝介の来るのを待つことになったんです」

りうさんよぅ、と種市は不審そうに質す。

「ここから小田原へは二十里（約七十九キロメートル）以上ある。その齢で、そんな遠くまで一人で行こうってのか」

「ええ、そうですよ、一人ですとも」

りうは首から提げた入歯を弄りながら、不敵に告げた。

「ただしねぇ、いろはかるたの札にもあるじゃありませんか、『旅は道連れ世は情け』ってねぇ。だから道中一緒になるひとがいれば、それはそれで構いませんとも」

老女の思惑に気付いた坂村堂が、笑いを堪えて尋ねる。

「私たちは二十日に江戸を発つ予定ですが、りうさんの出発のご予定はいつでしょう？」

「あらまぁ、奇遇だこと。私も如月二十日に発つんですよ」

りうは答えて、にんまりと笑った。

塩水を張った桶に、粒揃いの浅蜊を入れた笊が浸かっている。どれ、と指を差し入れれば、挑むように潮をぴゅっと噴いた。

「こいつぁ良い浅蜊だ。やっぱり浅蜊は深川に限るぜ」

種市は満足そうに言って桶ごと板敷へ運んだ。浅蜊を一つ摘まむと、平たい金串を殻の間に差し込んで器用に身を抜いていく。

「親父さん、そんなに沢山剝き身にするんじゃ大変だ。助けますぜ」

戻した干し椎茸の石づきを外していた政吉は、包丁を置いて店主に声をかけた。

「良いんだよ、政さん。一人でやりてぇのさ」

ぷっくりとよく太った身を笊に落としながら、種市は頭を振る。

お澪坊への土産にする品だ。端から全部俺の手で作るのさ。

そんな店主の心意気を悟って、政吉は小さく笑い、再び包丁を手に取った。


大坂で生まれ育ち、江戸へ出てきた娘が、江戸の食で驚き戸惑う姿を、種市はずっと身近で見ていた。娘の驚きは、店主の驚きでもあった。

わけても種市が心底驚愕したことは、澪が浅蜊を「滅多に見ないし、食べる機会も殆どなかった」と話したことだった。

江戸っ子は、春になればとにかく浅蜊を食う。味噌汁の具にして、手っ取り早く飯にぶっかけて、剝き身を串に刺して焼いて、鍋にして、切り干し大根と煮て、あるいはぬたにして、それはもう、たらふく食う。だが、大坂には浅蜊がない。その事実は種市にとって天地が引っくり返るような衝撃だった。

「ったく、何でこんなに旨いもんが、大坂にはねぇんだよぅ」

夜、誰もいなくなった調理場で、種市は七輪の火を団扇で操る。鍋の中でくつくつと煮えているのは、千切り生姜と、醤油、酒、味醂、砂糖で味をつけられた浅蜊の剝き身であった。

「もうちょいと味醂を足そうか。お澪坊の好きな流山の白味醂を」

随分と長い間、自分で料理をしていない。どれどれ、と味の染みた身をひとつ、箸で摘まんで口に入れる。生姜の効いた甘辛い味が舌の上で踊り、こいつぁいけねぇ、と種市は身を捩った。

「手前で作って手前で言うのも妙だが、旨過ぎていけねぇ、いけねぇよぅ」

澪に浅蜊を食べさせたい一心で、日持ちのする佃煮を考えついた種市だった。化け物稲荷で初めて澪に声をかけ、差し入れた握り飯に蜆の佃煮を添えたことをよく覚えている。佃煮はお菜の中では地味な脇役だが、少しあればご飯が進むし、作り置きが出来て長く使えるのも好ましい。まるで俺みてぇだ、と満ち足りた思いで、鍋を覗く。

柔らかな湯気越し、艶やかな佃煮はそろそろ炊き上がろうとしていた。

いよいよ迎えた、如月二十日。

満開の八重桜が近景を退紅に染める。目を転じれば、白藍の空を燕が勢いよく横切り、遥か先に富士の山が霞む。旅立ちには相応しい朝だ。

五つ（午前八時）を告げる時の鐘が長々と尾を引く中、日本橋の袂で男が一人、激高していた。

「遅い！　遅過ぎる！」

菅笠に桟留縞の小袖、手甲脚絆、足もとは足袋に草鞋履き、腰に道中差と呼ばれる短刀を差している。旅姿の見本のような男は戯作者清右衛門、そのひとであった。

「出立の刻限に遅れるとは、何という愚かな」

地団太を踏む戯作者に、種市は恐る恐る声をかける。

「何もそこまで腹ぁ立てなくたって。約束は五つですぜ。仮に五つ半（午前九時）に発ったとしても、陽のあるうちに神奈川宿に着け」

「そんな問題ではない」

言葉途中で盛大に怒鳴りつけられて、種市はひゃっと首を竦めた。

日本橋を起点として京三条に至る東海道五十三次のうち、小田原までを、健脚な者は始めの二日で歩き通してしまう。清右衛門も当初はそのつもりでいたのだが、りうと種市という老い二人に配慮して、坂村堂が三日かけることを提案したのだ。しかも「無理は禁物」とばかりに、通常は日本橋を七つ（午前四時）発ちするところ、五つと決めたのも坂村堂だった。

「珍しいですねぇ、あの律儀な坂村堂さんが遅れてくるとは」

少し離れたところからその様子を眺めていた孝介は首を捻(ひね)った。息子の隣りで、笠の紐(ひも)を結んでいたりうが、大らかに応える。

「出がけに用事が重なるのは、よくあることですよ。ねぇ、ご寮さん」

同意を求められて、ほんに、と芳はゆったりと微笑(ほほえ)んだ。

昨夜、つる家で盛大に送宴を済ませたこともあり、今朝、一行を見送るのは芳と、りうの息子の孝介だけだった。

「ああ、噂(うわさ)をすれば」

芳は言って、川筋を指し示した。

「遅くなって済みません」

坂村堂が手にした笠を振りながら、人波を縫ってこちらに向かってくる。

「版元が戯作者を待たせるとは、一体どういう了見(りょうけん)か」

何をしておった、と戯作者に怒鳴られて、版元は息を切らせながら、懐から書物らしきものを一冊、取り出した。

「澪さんへの土産にこの料理書を、と。まだ発売前の見本を、版元に無理を言って譲ってもらいました」

水色の表紙には「江戸流行料理通（つう）」とある。名高い料理屋の店主の記した、貴重な料理書だった。

一柳の女将として噂を聞いていたのか、ああ、と芳は呟いた。そして、坂村堂に深々と頭を下げる。

「澪にとっては何よりの品、坂村堂さん、ほんに、おおきにありがとうさんだす」

清右衛門もその本の値打ちを知っているのだろう、黙って先に日本橋を渡り始めた。

「おおい、清右衛門先生、待ってくんな」

種市があたふたと後を追い、坂村堂も、

「では、りうさん、私たちもそろそろ」

と、老女を促した。

「おっ母（か）さん、頼むから私が着くまで小田原の旅籠（はたご）『森雅屋（もりまさ）』で大人しく待っててくれよ」

いいね、と孝介は幾度も念を押して、丈夫な竹杖（たけづえ）を母親の手に持たせる。

「わかってますよ、お前は心配性だねぇ」

目を細めて、りうはほろりと笑った。

「おっ母さん、長湯するんじゃないよ」

「道中、くれぐれもお気をつけて」

見送りに来られなかった者たちの分まで、孝介と芳は旅の無事を祈る。そんな二人の声に送られて、四人は橋を渡っていった。

旅で守るべきことは、朝早く出て、まだ陽のあるうちに旅籠に入る、という一事に尽きる。日本橋から小田原まで、距離にして二十里二十七町（約八十キロメートル）。初日の泊まりは七里（約二十七キロメートル）先の神奈川宿と決めていた。

一刻（約二時間）歩いて品川で休みを取り、六郷川を渡し舟で越えて、川崎へ。足袋に草鞋という慣れない足もとではあったけれど、品川宿の賑わいに目を奪われ、水上を渡る心地よさに慰めを得る。神奈川へ向かう道のりは上りが多く、年寄り二人は竹の杖を支えによれよれになって歩く。それでも海沿いの急な坂を上りきれば、見事な絶景が待っていた。

眼前、見渡す限りの天と海だ。

空は夕映えの気配を纏い、潤み朱色に縁取りされた白雲が浮かぶ。その下を、金銀をちりばめた波間を切り進み、風を一杯に孕んだ帆掛け船が港へと帰っていく。疲労困憊で倒れそうになっていた種市とりうだが、その景観の美しさに息を吞む。

少し休みましょう、と坂村堂が地面に腰を下ろし、残る三人もそれを真似た。旅籠が近いらしく、風に乗って、旅人を招く声が重なって聞こえている。

日本橋を出て四刻半（約九時間）、旅慣れないため思ったより刻がかかったが、どうやら日没までに草鞋を脱ぐことが出来そうだった。

「この辺りは袖ヶ浦、少し霞んでいますが、あちらは上総、安房です」

菅笠を外して流れる汗を拭いながら、坂村堂は東南の方角を示した。遥か彼方にはおぼろに島影が認められた。

「極楽浄土ってのは、こういうところかも知れませんねぇ」

又さんもあの辺りに居そうですよ、とりうは島を指さした。

戯作者は黙り込んで、あたかも亡きひとの面影を追い求めるように、じっと彼方を見つめている。戯作者の横顔を、版元は気にかけてちらちらと眺めた。

そうかも知れない、おつるもこんな光景の中に居るのかも知れない、と種市は視線をぐるりと廻らせた。

俺が旅立つ先はこういうところなのか。だとしたら、死ぬるのも悪かぁねぇや——そう思う一方で、澪やふき、健坊たちの顔が浮かんで、どうにも切ない。

この春までなら命がある、との一事で気持ちが高揚し、来年の春にはもうこの世に居ない、との一事で寂しさが募る。俺って奴はつくづく厄介だ、と種市は長々と息を吐いた。

「わしは先に行く」

いきなり戯作者は杖を立てて、それを支えに立ち上がった。

「ちゃんと後ろも見ることだ」

ふん、と荒い鼻息を残して、清右衛門はすたすたと風上に向かって歩いていく。

どれ、と三人が首を捩じって後ろを見れば、峰の連なるその先に、富士の山が迫っていた。

翌朝早く神奈川宿を発ち、保土ヶ谷、戸塚、藤沢へと進む。前日七里を歩き通したので、この日は無理をせず五里十八町（約二十二キロメートル）ほどに抑え、八つ半（午後三時）には旅籠へ着いた。

三日目、夜明けとともに出立し、平塚、大磯、と進み、今回の旅で最も長い八里九町（約三十二キロメートル）を歩き通して、いよいよ小田原に到着した。

「宿場ごとでそれぞれ味わいが違いますねぇ」

日本橋から二十里を超える道のりを歩き通した、という自信からか、りうは疲れを忘れたように晴れやかに街並みを眺めている。一方、清右衛門は終始無言で、時折「うむ」と頷いたり、駄目だ駄目だ、という体で頭を振ったりしていた。

小田原城下、名物の提灯屋や蒲鉾屋、薬種商等々が軒を並べる通りは、旅姿の男女と呼び込みとで大層な活況を呈していた。京まで続く東海道、北へ向かえば甲州街道、南へ下れば熱海道。ここ小田原はそうした旅の分岐点にも当たる。そのため、旅籠の数も前日の藤沢の倍はあった。

四人連れと見て取って、留め女と呼ばれる旅籠の客引きが、わらわらと種市たちを取り囲んだ。お泊まりなさいませ、お泊まりなさいませ、と四方八方から袖やら腕やらを引っ張られて、もみくちゃにされる。あまりの迫力に怖気づく種市に比して、りうは歯のない口を全開にして嬉しそうに笑っていた。

「無駄だ、すでに宿は決まっておる」

清右衛門の一喝で、留め女たちは舌打ちして一斉に離れた。

土産物を売る店々を愛でつつ賑やかな通りを行けば、ひときわ目を引く八棟造りの大店があった。

まぁまぁ、とりうが華やいだ声を上げた。

「ういろう屋ですね、あの有名な」

「ういろう？　餅菓子のういろうかい？　それにしちゃあ、やけに薬臭いぜ」

種市が言えば、りうがまた、ふぉっふぉっと楽しげに笑う。

「りうさんよぅ、さっきから妙だぜ、何がそんなにおかしいんだよぅ」

種市の問いかけに、りうは何も答えず笑ってばかりだ。

「ういろうは、別名『透頂香』という万能薬で、ここ小田原の名物なんです」

りうの代わりに、坂村堂がにこやかに語る。

「店構えも風変わりなので、良い目印になりますよね。我々がお世話になる森雅屋という旅籠も、丁度、この近くです」

後から来る孝介のために、予め小田原で泊まる旅籠を決めておいたのだ。

「湯治で長逗留も出来る宿なんですよ。前に一度、泊まって、とても気に入りましたので」

ああ、あそこです、と版元が指さす先を見れば、小女が打ち水をする姿が映った。土埃を抑えるために、優しく柄杓の水を撒く。その後ろに、森雅の字を染め抜いた長暖簾がかかっていた。

一泊二百文。前二日の旅籠と同じ宿賃ながら、上がり框に腰を掛けたところで、格段の居心地の良さだった。草鞋と足袋を脱ぎ、用意された濯ぎの水で足を洗えば、清潔な手拭いで水気を丁寧に拭われる。建物は古いが隅々に至るまで充分に手が入れてあり、板張りの廊下も階段も、姿が映り込むほど磨かれていた。

「坂村堂の旦那、こいつぁ良い宿だ。疲れも吹き飛びますぜ」

種市の感嘆に、お気に召して何よりです、と坂村堂は満足そうな笑みを湛えた。

あら探しの得意な戯作者は、と見れば、心ここに在らず、といった風情で思索に耽っていた。

「屋号入りの小田原提灯をお土産に、でございますか」

一同を二階座敷へ案内しながら、仲居がりうの相談に応える。

「それは良い考えでございますねぇ、先様もきっとお喜びですよ。ただ、大提灯に屋号を入れて、油引きをするとして、今日中、というのはまず無理かと」

少なくとも二日はかかる、と言われて、りうはしおしおと頭を振った。

「それでは間に合いませんよ。提灯は諦めて、ういろうをお土産」

「わしらが二泊すれば良い、何なら三泊でも良いぞ」

ふいに老女の言葉を遮って、清右衛門が声を張り上げた。

一体、何を言いだすのか、と種市と版元は驚いて、戯作者を見た。

「坂村堂、わしの部屋を別に用意させろ。そこへ文机を入れて、明かりも持ってこい。一刻の猶予もならぬ」

戯作者は双眸をぎらぎらと輝かせ、筆を持つ素振りをしてみせた。すぐに墨を磨れ、と命じられて、版元は即座に「はい」と応え、階段を転がるように下りて行った。

目を閉じ、廊下を行きつ戻りつし始めた男のその頬が、次第に紅潮していく。

種市には何が起こったのか、さっぱりわからない。

「りうさんよぅ、一体、何があったんだ」

「清右衛門先生の頭の中で、物語が生まれようとしているんですよ、きっと」

清右衛門の作品の愛読者でもあるりうは、感激したように両の手を合わせている。

二階の一番奥の座敷は泊まり客が居たため、その隣りの部屋に清右衛門は籠った。

坂村堂は前の廊下に控えて、何くれとなく世話を焼く。畢竟、種市はりうと顔を突き合わせて早々と夕餉を終え、仲居の淹れたお茶を啜ることとなった。

「お風呂の用意はもう出来ております」

いつでもどうぞ、と勧めて、仲居は座敷を去る。襖が閉じられるや否や、りうは声を立てて笑いだした。

「ああ、おかしい、小田原のお風呂ってだけで、あたしゃもう、おかしくて、おかしくて、堪りませんよ」

「何がそんなにおかしいんだよぅ」

種市は不気味そうに老女を眺める。

「小田原に着いてから、どうにも変だぜ」

そこまで笑壺に入る理由がわからない。

眉を曇らせる種市に、ごめんなさいよ、とりうは笑いながら詫びた。

「『東海道中膝栗毛』って本があるんですよ。五十男と三十男の二人が神田から上方までを旅する話なんですがね。これが滅法面白くて」

十二年間に亘って刊行された本で、旅先での出来事を面白おかしく綴ってある。それぞれの土地の名物や風習にも触れてあり、一読すれば東海道を旅した気分になるので、大層な人気なのだそうな。

「ことに小田原宿での下りが、とんでもなく愉しいんですよ。留め女のこととか、ういろうのこととか、本の中に書かれていた通りなので、もう笑えて笑えて」

旅籠の五右衛門風呂の入り方がわからず、四苦八苦する場面が最高なのだとか。

「何だよぅ、そんなことか」

　種明かしの内容が、あまりに他愛ないので、肩透かしをくらったようで、種市は渋い顔で冷めたお茶を飲んだ。

「あたしから見たら、旦那さんの方がよっぽど変ですよ」

　りうは真顔になり、種市の方へ、じりっと膝を進めた。

「先月初めに引き込んだ風邪が長引いて、加減が悪かったのはわかりますよ。けど、塩をまかれた蛞蝓みたく生気が抜けたかと思えば、急に張り切る。笑っているかと思えば、ふいに涙ぐんだり萎れたり。一体、何があったんですか？」

　図星を指されて、うっと種市は怯んだ。

「お、俺ぁ別に何も」

「嘘ですね、ええ、嘘に決まってます」

　りうは、きゅっと口を窄めてみせる。

「私だけじゃありませんよ、つる家じゃあ健坊に至るまで皆、気付いていますとも」

　じりじりとさらに膝を進めて、りうは種市の顔を覗き込んだ。

「話して楽になることなら、この際」

　りうが言いかけたところで、どん、どん、と古い建物を揺らす勢いで足音が響き、襖が乱暴に端まで開けられた。何事か、と見れば、清右衛門がぬっと立っている。両眼は血走って吊り上がり、全身から怒りの炎が揺らめいているようだ。

常なら罵声の一つや二つ、飛び出しそうなのだが、戯作者は無言で部屋に入ると、真ん中にどすんと座り込んだ。

ひっ、と種市は隅に逃げ込んで、

「清右衛門先生、一体、どうしなすった」

と震える声で尋ねた。

だが、戯作者は黙ったままだ。

「ご店主、それにりうさん」

文机を抱えて現れた坂村堂は、机を放すといきなり手を合わせて二人を拝んだ。

「何も仰らず、部屋を替わって頂けませんか」

この通りです、と版元は畳に額を擦り付ける。廊下では、旅籠の主夫婦と思しき男女が、同じように頭を下げていた。

たいらけく　やすらけく　きこしめせと
かしこみ　かしこみも　もうす

深夜、壁一枚隔てた隣りの部屋から、低い声が洩れてくる。気にするまい、としても、耳の底に響いて、気になって堪らない。

行灯の薄明かりのもと、種市は半身を起こした。坂村堂の分の布団には、ひとが休んだ気配もない。

乞われるまま、清右衛門と部屋を替わったが、隣室からずっとああして声が続いている。初めは謡いかと思っていたが、そうでもなさそうだった。

衝立の向こうで寝返りを打つ気配がしたので、りうさんよぅ、と小さく呼びかけた。

「清右衛門先生が逃げ出すはずだぜ。一体、何だい、ありゃあ」

「あたしもずっと聞いていましたがねぇ、あれは祝詞ですよ。部屋に神棚でもあるんですかねぇ」

衝立が少し動いて、りうの顔が半分覗く。

「お隣りさんは、よっぽど信心深いかたなんでしょうね。清右衛門先生も祝詞だとおわかりになったから、怒鳴り込んだりなさらずに、黙って部屋をお替わりになったんですよ」

清右衛門は偏屈で変わり者ではあるが、妙に律儀なところがある。

例えば、隣人が酔って騒いでいるなら容赦はしないが、祝詞が煩いからと言って雷を落とすことはない。

「執筆を邪魔されたことで腹を立てておいででしたが、先生にしても神信心は大切になさいますからねぇ」

りうの言い分に、そんなもんかねぇ、と種市は首を左右に振る。

「けど、あの声が耳について、俺ぁ寝らんねぇよぅ」

種市は嘆いて、頭から布団を被った。

「部屋を替わって頂き、本当に助かりました。お陰様で先生も筆が乗り、先ほどまでずっと机に向かっておられました」

今、少し仮眠を取られています、と版元は言って、種市とりうに頭を下げた。

坂村堂自身も相当に疲れている様子で、しょぼしょぼと赤い目を擦りつつ、朝餉の膳につく。

「ご店主には大変申し訳ないのですが、ここを発つのは明後日、ということにして頂けませんか」

どうやら今日明日で戯作が一本、書きあがりそうだ、と聞いて、りうはうっとりと夢見心地になっている。

「そいつぁ構いませんぜ。端からそんな話でしたし」

種市は欠伸を嚙み殺して、箸を手に取った。膳の上には鰺の干物、ひじきと大豆の煮もの、名物の梅干し、それに蕗の味噌汁が並ぶ。

手が足りないのか、仲居ではなく、小女がお櫃から飯茶碗にご飯を装い、甲斐甲斐しく朝餉の世話をする。その姿が、つる家に奉公に上がったばかりのふきを彷彿とさせた。

「ちょいとお待ちなさいな」

一礼して部屋を去りかける小女を呼び止めて、りうは巾着から小銭を取り出し、その掌に握らせる。

「良くしてくれて、ありがとう。とっておきなさいな」

りうに言われて、よかんべか、と呟いて頬を染め、小女は手の中の小銭をぎゅっと握りしめた。

「今は静かだけどよう、昨日は夜通し、隣りが気になって寝られなかったぜ」

種市は箸を持つ手で隣室を差して、

「一体、どんな客なんだ」

と聞いた。

境の壁とりうたちに交互に目をやって、小女はおずおずと口を開く。

「おらもよくは知んねぇ。けんど、旦那さんと女将さんが『くれぐれも失礼のないように』と、口が酸っぱくなるくれぇ言うから、よっぽど大事なお客じゃねぇべか」

五日ほど前から泊まっていて、やはり幾度か「煩い」と苦情が出たが、その度に店主夫婦が謝って回っているとのこと。

ああ、それであの時も、と廊下に並んでいた夫婦を思い返し、種市は好奇の念を抱いて、問いを重ねる。

「どんな見てくれの客だい？」

「六十過ぎだべか、けど年寄り臭くねぇし、頑丈で達者そうだよ。風呂に入るほかは、いっつも、こんな頭巾を被ってる」

小女は両の手で四角い形を作って見せた。そして、泊まり客について余計なことを話してしまった、と悔いたのか、ごゆっくり、と言い置いてそそくさと去った。

「四角いとなると、角頭巾でしょうね」

頭に被る仕草をして、坂村堂は思案する。

「だとすると、俳諧師でしょうか。森雅屋のご主人は俳諧を好まれてますし」

どうですかねぇ、とりうは椀から口を外す。

「お年寄りは角頭巾を好みますからね。あと、医者とか僧侶……まあ、祝詞を上げるお坊さんは居ないでしょうがねぇ」

易者ってのもあるぜ、との台詞を、種市は大粒の梅干しとともに呑み込んだ。脳裡に、あの日の水原東西の顔が浮かんでいた。

旦那さん、とりうが呆れ顔で助言する。

「梅干しの種は出した方が良いですよ」

朝餉のあと、版元はまた戯作者のもとへ戻り、りうはりうで元気に小田原見物に繰り出した。

腹が一杯になったところで、今度こそ眠ろう、と種市は敷きっぱなしの布団へと寝転がった。隣室からまたしても件の声が洩れてきて、種市は頭から布団を被る。

「俺は寝る、寝るったら寝るんだ」

種市は呻いて、無理にも目を閉じた。昨夜寝そびれたこともあり、腹を立てながらも、何時しか、とろとろと寝入った。

夢の中で、種市は澪と再会していた。

炊き立てご飯に、土産の浅蜊の佃煮を載せて、「旦那さん、どうぞ」と、澪が種市に差しだすのだ。澪の隣りで、源斉も穏やかに笑っている。ああ、本当に似合いの夫婦だ。お澪坊、少しふっくらしたなぁ、幸せなんだな、そいつぁ何よりだ、と種市は笑いながら泣いていた。

開け放った戸口から、満開の桜が覗いている。毎年は無理でも、三年に一遍くれぇは顔を見に来るぜ、と言いかけて、ああそうだ、俺ぁ、来年の春にはもうこの世に居ねぇんだ、と気付く。

「旦那さん、旦那さん」

耳もとで呼ばれて、種市はぱっと目覚めた。すぐ目の前に巨大な梅干しがあった。ぎゃっと悲鳴を上げると、

「いい加減、起きてくださいよ。そろそろ夕餉ですからね」

と言われた。

薄暗い中、目を擦ってよくよく見れば、りうが枕もとに座り、こちらの顔を覗き込んでいた。障子の外は既に暗く、室内には行灯の明かりが点されている。

「こいつぁ済まねぇ」

種市は慌てて布団を這い出た。

宿の口利きで、注文の提灯は明後日の早朝には届けてもらえる、とりうは上機嫌だ。

「旦那さんたちの出立にどうやら間に合いますよ。ありがたいことです」

「そいつぁ何よりだ」

隣室からは、また例の声が洩れてきた。りうが右の掌を口の横で開いて、種市の耳もとにささやく。

「さっき、初めてお隣りさんを見かけましたよ。厠に行くとこだったみたいで」

角頭巾が目印になったが、六十代半ば、小女の話していた通り、頑丈な体軀の老人で、眼光鋭く、何やら恐ろしかったという。

「俳諧師でも医者でも、ましてやただの年寄りって雰囲気でもありません。あたしゃ長く生きていますが、これまで出会ったことのないようなひとでした」

俳諧師なら知り合いになりたい、と思ってましたがねぇ、とりうは付け加えた。


月の出の遅い夜だ。

今夜こそは夢も見ずに眠りたい、と種市は願った。

夢でお澪坊に会えないのは残念だが、大坂に着けば、本物に会える。そのためにも疲れを残さずに小田原を発ちたかった。だが、今夜も隣室からの祝詞が、腹の底に響く。りうはもう慣れたのか、衝立の奥から健やかな寝息がしていた。

我慢に我慢を重ねたが、丑三つ時を過ぎ、淡い月影が障子を青白く照らし始めたのを認めて、ついに堪忍袋の緒が切れた。

「畜生め、もう辛抱ならねぇ」

種市は跳ね起き、衝立を蹴倒して、廊下へと突進する。旦那さん、一体どうしたんですか、と背後でりうの声がしていた。

どん、どん、と敷板を踏み鳴らし、隣室の前に立つ。

「いい加減にしやがれ」

襖を乱暴に開けるなり、種市は怒鳴った。

幾つもの行灯が並べられて、室内は驚くほど明るい。灯りに囲まれて、こちらに背中を向けていた男が、ゆっくりと振り返った。

「何や、お前はんは」

紫紺の角頭巾の下に、黒々と太い眉。ぎょろりと見開かれた眼、獅子鼻、おちょぼ口。口以外は顔の造作の大きな男だ。

「こない夜中に、何の用や」

「何の用もなにもあるかよ。手前の声が煩くて、こちとら寝られやしねぇ」

清右衛門が憑依したかの如く、種市は吼える。

「手前一人が泊まってるわけじゃねぇぜ。ひとの迷惑を考えねぇとは、一体どういう了見だ」

「旦那さん、まぁ、落ち着いて」

後を追ってきたりうが、素早く前に回って種市を制止した。もつれあう老い二人を眺めていた男は、ぬっと立ち上がり、種市の腕を摑む。

「何だぁ、やる気か、上等じゃねぇか」

「ええから中ぁ入り。ほかの客の迷惑やさかい」

お前はんも、と男はりうに言って、顎で中を示した。


「よもや、そこまで煩いとは知りまへなんだ。この通りでおます」

りうから冷静に粗方の事情を聞かされて、男は頭巾を取り、総髪の頭を下げた。

聞けば、森雅屋の店主に「骨休めに」と招待されて、逗留しているのだとのこと。自ら招いた客人ならば、主も注意できないはずだ、と種市は唇を捻じ曲げる。謝罪も受けたことだし、部屋へ戻って今度こそ休もう、と腰を浮かしかけた時だった。

「お前はん、良い顔相をしてはる。実にええ相や」

そう声をかけられて、りうはゆっくりと座り直した。

「お前さんは易者なんですか」

総髪を高い位置で髷に結った風体は、如何にもそれらしい。得心がいった体でりうが確かめると、男は深く頷いた。

「私は水原東西と言いましてな、大坂で古うから顔相と手相を観てますのや」

「ななな何だとぅ」

部屋を立ち去りかけていた種市は、あまりに驚き、四つん這いになって男に詰め寄った。

「手前が水原東西だと？」

「さいな」

相手が頷くや否や、嘘をつきやがれ、と種市はその胸倉をむんずと掴む。

「水原東西なら、俺ぁ、先月の十五日に遇って喋ったぜ。そうとも、江戸は神田の化け物稲荷で、行き倒れになりかけのとこを助けてやったんだ」

「そない阿呆な」

易者は苦笑いして、種市の腕を払った。

「私が水原東西本人でおます。何ならここの主に聞いてみなはれ」

昔、森雅屋の主人の運勢を見て以来の長い付き合いだ、と男は語った。

水原東西、と呟いて、りうはじっと考え込む。ほどなく、その名に思い至ったのだろう、ああ、と両の手を打った。

「もしやお前さん、その昔、新町廓で『旭日昇天』の易を出したことはありゃしませんか」

敢えて有名な方の易をあげて問いかけた老女に、お前はん、よう覚えてはる、と易者は感心してみせた。

「当時、随分と噂になりましたよってなぁ。太閤はんにも勝る強運の持ち主は、さる商家の末娘さんやったが、その後、どないな人生を辿ったやら」

声を落としたあと、ただ、と易者はゆっくりと腕を組んだ。

「それよりも忘れ難いのは、『雲外蒼天』の相をした童女やった。先に待ち受ける艱難辛苦が目ぇに浮かんで、占いながら、どうにも胸が詰まってならんかった」

本物だ。間違いない、目の前のこの男こそ、正真正銘の水原東西だ。

種市は中腰のまま、後ろに倒れて尻餅をついた。

「じゃあ、俺が遇ったのは一体誰だったんだ。確かに水原東西だと名乗りやがったんだぜ」

東西は腕をほどいて腿に置き、種市の方へと身を乗りだす。

「もしや、その男、お前はんに悪い卦を告げへんかったか。寿命がないとか何とか」

東西の言葉に、りうが、ああ、と大きく頷いた。ここひと月ほどの種市の心の揺れの原因を、了知(りょうち)したのだろう。

「あちこちで私の名ぁを勝手に使い、不吉な卦を告げて、数珠やら札やらを売りつける、いう話を聞いたことがおます。もしや、お前はんも引っかからはった口やおまへんのか」

「そ、そいつぁ」

易者の指摘に、種市は口ごもった。あの日の情景が脳裡に鮮やかに浮かぶ。話を続けようとしていた偽東西を振り払い、逃げるように帰ったが、もしやその場に留(とど)まっていたら、そうした流れになっていたかも知れぬ。

種市は腹を据え、実は、と、あの日、どんなことがあったかを二人に打ち明けた。

話の途中から東西は拳を口もとにあてがい、肩を震わせて笑いを堪えているようだった。

「来年の桜を見ることは叶わない、とはまた」

全(すべ)て聞き終えてから、易者は天井を仰ぎ、呵々大笑(かかたいしょう)する。あまりの高笑ぶりに、りうが気の毒そうに種市を見て、東西に向き直った。

「いくら何でも笑い過ぎですよ。そんな酷(ひど)い易を告げられた者の身にもなってくださいな」

「堪忍、堪忍、ほんまにその通りや」

咳払いをして笑いを封じ、水原東西は改めて種市に向かった。

「易、いうものは、言霊を授けることや。悪い易には、悪い言霊が宿る。せやさかいに、そないなもんに振り回されんようにするんが肝要や」

どれ、と東西は両の腕を伸ばし、種市の頭を捉えた。骨の形を確かめるようにぎゅっぎゅっと触り、顔に移る。懐から取り出した天眼鏡で、じっくりと人相を改めた。最後に種市の掌を開かせ、丁寧に手相を観る。

「お前はん、食べ物には随分と気ぃつけてはりますな」

「そ、そんなことがわかるんですかい」

種市の驚愕を他所に、東西は今度はりうへとにじり寄った。りうも負けじと睨めっこのように易者を見返す。顔の相を確かめたあと、東西はりうの手を取って、掌を注視した。

不思議や、と易者は首を捻る。

「夫婦でもないのに、えらい似てる。似たようなものを食べてるとしか……」

「そりゃそうですよ、このひとは料理屋の店主で、わたしゃお運び、毎日、同じ賄を食べてますからねぇ」

りうの返答に、ああ、道理で、と東西は大きく縦に首を振った。

「二人とも、ほれいちょうめいの相が出てる」

「ほれいちょうめい？」

種市とりうは互いに視線を合わせ、そのまま揃って東西へと迫った。

「何ですかい、そりゃあ」

詰め寄る種市を、ちょっと待ちなはれ、と制して、東西は文机に向かう。筆を取り、たっぷりと墨をつけ、半紙に「保齢長命」と大きく書いた。

「健やかで長寿、ということや。来年の桜どころか、先の先、ずーっと先まで花見が出来るやろ」

ただし、と東西は老い二人を交互に見て、厳かに告げる。

「これまで通り、食べることを疎(おろそ)かにせんように。ちゃんと手ぇかけたもんを、ほどよい量だけ食べなはれ。食は即ち命やさかいに」

せっかくの良い易も、心がけ次第で台無しになるよって、と易者は言い添えた。

ちよちよ、ぴー

ちよちよ、ぴー

すっかり明るくなった障子の外で、小鳥の囀りが聞こえる。干物を炙る匂いが漂い、廊下を行き来する足音が賑やかだ。ああ、幸せだ、と思うと自然に笑みが零れる。

「旦那さん、そろそろ起きたらどうです」

りうに声をかけられても、種市はにやにやと目を閉じたままだった。やれやれ、と溜息混じりにりうは言う。

「あたしゃ、清右衛門先生の様子を見てきますよ。朝餉も向こうの部屋で頂きますからね」

返事の代わりに、種市は布団から片足を出して、ちょいちょい、と動かしてみせた。

「何て横着な」

りうは呆れて部屋を出て行ったが、種市は気にも留めない。

保齢長命。

何と良い響きか。俺のためにあるような言葉だぜ、と種市は嬉しくてならなかった。

「おい」

いきなり布団を剝がされて、何だよぅ、と種市は薄目を開ける。

髪を振り乱した青白い顔の男が枕もとに恨めしそうに立っていた。ひぃっと悲鳴を上げて飛び起きれば、幽霊のように見えたのは、戯作者清右衛門だった。

「わしは寝る」

それだけを言って、清右衛門は種市の上へと倒れ込む。清右衛門に押し潰されて、ぐえっと種市は呻いた。

どうやら原稿が上がった清右衛門、精も根も尽き果てて、たちまち鼾をかいて眠ってしまった。

「何すんだよぅ、清右衛門先生、手前の寝床で寝てくれよぅ」

種市がどれほど叫んでも、目覚めそうになかった。

「ご店主、済みません」

よれよれになった版元が、布団の脇に座り、

「食事は向こうの部屋で取ってください。私も失礼して横にならせて頂きます」

と、言い終えるなり倒れるように寝入った。

結局、戯作者も版元も、その日は終日、死んだように眠り続けたのだった。

そして迎えた、如月二十五日。

予定通り、種市と坂村堂、清右衛門の三人は小田原を発つこととなった。

提灯屋は約束を守って、まだ世も明けぬうちに、りうの頼んでいた提灯を届けに来た。すっきりとした縦長の提灯には、極太の筆で「みをつくし」の文字。看板代わりにもなる頑丈な造りだった。

「こいつぁ見事だ」

「澪さん、きっと喜ばれますよ」

伸ばした提灯を眺めて、種市と坂村堂が歓声を上げる。

「まぁ、悪くない」

原稿を無事に上げて機嫌の良い戯作者は、それだけを言って表へ出た。

坂村堂は、見送りのために現れた森雅屋の店主夫婦に挨拶(あいさつ)を済ませ、急いで清右衛門の後を追いかける。外はまだ薄暗い。

「旦那さん、荷物になって済みません」

りうは提灯を畳んで風呂敷に包み、種市の背中に斜めにかけた。

「りうさんよぅ、孝介さんが迎えにくるまで、大人しくここで待ってるんだぜ。それと、東西先生に、くれぐれも宜しく伝えといてくんな。俺ぁ一生、恩に着るってな」

宿屋の主人らの耳に入らぬよう、あとの台詞を声を落として伝えた。

りうは歯のない口をきゅっと窄めて、こくこくと頷いてみせる。

水原東西との遣り取りが外に洩れれば、厄介な騒ぎになるかも知れない。そのため、今回のことはりうと種市だけの内緒ごととしたのだった。

お気をつけて、の皆の声に送られて、種市は旅籠を出た。

「愚図愚図するな、今日は箱根宿まで行かねばならんのだ」

遥か先、清右衛門の怒声が響く。へぇ、と声を張って、種市は地面を蹴った。屈託がなくなり、憂さも消えて、身体が軽い。

まだお天道様は顔を見せないが、東天が菫色から曙色へと染まり始めていた。

明けの明星が切り爪の月を伴い、夜に別れを告げる。周囲が光を帯びるに連れて、街道沿いに植えられた枝垂れ桜の姿が、天から地に零れる光を集めて密やかに浮かんでいた。

お澪坊、待っててくんなよ。

俺の花だより、待っててくんなよ。

「ゆっくり休んだせいか、ご店主は随分とお元気になられましたね」

追いついた種市に、坂村堂が、良かった、と笑いかけた。

東海道のうち、小田原から箱根、三島に至る八里の道のりは「箱根八里」と呼ばれて、旅人泣かせである。中でも畑宿(はたじゅく)から箱根宿へ至る上り道は、最大の難所に違いなかった。

箱根道はその昔、ただの土の道で、雨でも降れば泥土と化して、脛(すね)まで埋もれた。そのため石を埋めて石畳としたのだが、畳と呼べるほど優しくはない。

茶屋で賑わう畑宿で少し休み、いよいよ難所に挑む。

男三人は口も利かずに高さのある石を踏み、両側から樹々(きぎ)の迫る暗き細道を、爪先(つまさき)を立てて登っていく。進むにつれて、鬱蒼(うっそう)と茂った杉に陽射(ひざ)しを遮られ、辺りは一層暗い。誤って苔(こけ)を踏めば足は滑り、幾度も冷や汗を拭わねばならなかった。

かこ、かこ、と石の鳴る音が背後から近づく。老いた旅人を乗せた馬が、馬子(まご)に引かれて三人に追いつき、並び、ゆっくりと追い越していった。

そうか、馬か、と種市は流れ落ちる汗を手甲で拭いながら思う。足腰がもっと弱ったら、馬を使おう。生きている間、幾度も東海道を往復することになるだろうから。

何せ、保齢長命の相だからな、と種市は自身に言い聞かせる。

「ああ、ほら」

登り坂が少し緩やかな下りへと変わった時、坂村堂が顔を上げ、御覧なさい、と彼方を指さした。木立の間から、湖が顔を覗かせていた。陽を受けて輝く湖面に、三人は暫し見とれる。行路途中、疲れきった旅人を励ます、美しい光景だった。

だが、長く休めば歩くのが嫌になるので、誰からともなく足を前へと踏み出した。賽の河原を過ぎ、湖を右手に見ながら、やがて関所に至った。箱根の関所は出女にはことさらに厳しいが、男の旅人には存外素っ気ない。江戸口御門の重厚な構えや物々しい警護に慄きつつ、清右衛門と坂村堂のあとについて進んだところ、特段吟味を受けることもなかった。

やれやれ、と人心地ついて関所を抜けると、じきに、茅葺屋根の旅籠が並ぶ箱根宿だ。陽は斜めに傾いていたが、暮れてしまうまでにはまだ刻がある。

「わりに早く着くことが出来ましたね」

旅籠と話をつけて戻った坂村堂が、こちらですよ、と先導する。

種市は菅笠の紐を解きながら、後ろを振り返った。

天を衝く峰々が遥か彼方まで続き、どれほど目を凝らしても果ては知れない。ただ、濃緑の杉木立の切れ目が、街道の在り処を伝えるのみ。

あそこを無事に通ってきたのか、と種市は大きくひとつ、息を吐いた。

「安心するのはまだ早い」

数歩先を歩いていた戯作者が、振り向いた。

「ここまでの四里より、三島までの四里の下り道の方が実は足に応えるのだ」

駕籠代も下り道を行く方が高いという。

「そんなもんですかい」

口では感心してみせながら、少しもこの先を案じていなかった。何しろ、かの水原東西によって保齢長命の相、すなわち「健やかで長寿」との易を受けたのだから。

「幾度か東海道を旅しましたが、やはりここまでが一番の難所なのは間違いありません。無事にここまで来られて、本当に良かった」

坂村堂が額の汗を拭って、ほっと緩んだ息を吐く。

「清右衛門先生も、それにご店主も、屈託が取れたようにお元気になられたのも、ありがたいことです。心底、安堵しました」

あ、あそこですよ、と坂村堂は前方を指さした。

「おいでなさいまし」

旅籠の屋号入りの半纏姿の男が、満面に笑みを浮かべて一行の到着を待っていた。

部屋に通されて荷を解くと、種市は真っ先に竹皮の包みを取り出し、端からそっと匂いを嗅いだ。生姜と醤油の良い匂いだ。

「よしよし、傷んでねぇな」

お澪坊に手渡しするまで旨いままでいてくれよ、と念じて、また大事に大事に仕舞い込む。

清右衛門は手拭いを手に、ぶらりと部屋を出て行った。

「私たちも夕餉前に湯を浴びて、さっぱりしましょうか」

この宿は風呂が良いらしいですよ、と坂村堂は嬉しそうに付け加えた。

種市はいそいそと仕度をし、版元のあとに続く。廊下に出て襖を閉めようとした時、手にしていたはずの手拭いが落ちた。

「齢ぃ取ると、手に持ってたはずのもんが勝手に落……ぐえっ」

身を屈めた途端、腰の辺りでぐぎっと妙な音がした。

「あ痛たたた」

目も眩みそうな激痛に、種市はそのまま廊下に蹲った。

「どうなさいました」

坂村堂が叫んで駆け寄る。助け起こそうとする版元に、種市は、

「うっうっ動かさねぇでくんな」

と、切れ切れに懇願した。少し動いただけで痛みが脳天を突き抜けるようだった。

ともかく横に、と坂村堂は宿の者の手を借りて種市を休ませ、医者を手配した。

痛ぇ、痛えよぅ、俺ぁどうなっちまうのか。

保齢長命のはずがおかしいじゃねぇか、とあまりの痛みで声も出ない種市だ。

「悪いことは言わない」

種市の身体を丹念に診ていた鍼医者は、手を止めて、その顔を覗き込んだ。

「この先も旅を続けるなんぞ、考えないことだ。痛みが取れるまで十日、鍼を打っても二日はかかる」

先生よぅ、と種市は辛うじて声を絞り出す。

「じゃあ十日の間、大人しくしたら、三島へ発っても構わねぇのかい」

「痛みは取れても、下り四里を歩くなど、とんでもない。腰の痛みは命には関わらないが、甘く見ると酷い目に遇う」

ぽんぽん、と医者に腰を軽く叩かれて、種市は、げえっ、と呻いた。

「無理は禁物ですよ」

部屋の隅に控えていた坂村堂が、病人を宥めにかかる。

「ご店主は前に腰を痛めて、それが原因で蕎麦を打てなくなったではありませんか。もともとから腰が弱いのですから、ともかく養生を一番に考えないと」

「じょ、冗談じゃねぇ」

悲鳴に近い声を上げて、種市は背中を丸め、のたうち回る。

箱根の山を越えて、ここまで来たんだ。お澪坊に会うどころか、おめおめ江戸に引き返すなんざ、出来るわけがない。

「俺ぁ、這ってでも行くぜ。這ってでも行」

「この大馬鹿者！」

坂村堂の隣りで、不機嫌そうに腕を組んでいた戯作者清右衛門が、いきなり病人に容赦ない罵声を浴びせた。

「まだ五分の一も進んでおらぬのに、何というざまか。そんな身体で大坂まで行けると、本気で思うておるのか」

怒髪天を衝く勢いだった。

あまりの激高に、居合わせた医者も旅籠の奉公人も震え上がる。

まぁまぁ、清右衛門先生、落ち着いて、と版元が割って入った。

「相手は病人なのですから、そこまで仰らずとも。大坂へは清右衛門先生お一人でいらして頂いて、私は暫くこちらで」

「坂村堂、お前は口を噤んでいろ」

版元の話を無理にも遮って、戯作者は医者ににじり寄った。

「この馬鹿者に鍼を打ってやれ。二日すれば、動かせるか」

そうさな、と医者は鍼道具に手を伸ばす。

「長く歩くのはまだ無理だ」

「馬の背に乗せて小田原まで戻るのはどうだ」

畳み込むように問われて、それなら、と医者は頷いた。

「坂村堂、旅はここで取り止めだ」

清右衛門は首を捩じって版元に宣言する。

「明後日には三人でここを発つ。馬の手配をしておけ」

驚きのあまり種市は腰が痛むのも忘れて身を反らせ、挙句、さらなる激痛に襲われて気を失いそうになった。

「清右衛門先生、それで本当に宜しいので？」

狼狽える版元に、ふんっ、と戯作者は鼻息で応じる。

「小田原の森雅屋で、あの戯作の続きを書くぞ。江戸に戻り次第、お前は本を出す用意に取りかかるが良い」

頼もしい返答を得て、清右衛門先生、一生ついて参ります、と坂村堂は両の手を合わせた。

如月二十日に江戸を発ったはずが、二十七日には、箱根から小田原を経て再び江戸に戻る羽目になった三人である。

「うむ、旨い」

左手に湖を眺めながら、清右衛門はむしゃむしゃと握り飯を頬張る。

「旨いな、坂村堂。中に入っておる佃煮がまた、何とも」

同じく大きな握り飯を口に運び、坂村堂はきゅーっと目を細めたあと、うんうん、と頷いた。

「何せ、つる家のご店主手作りの佃煮ですからねぇ」

「ちっきしょうめぇ」

馬の背にしがみついていた種市は、天を仰いで吼えた。

「お澪坊に食わせてやりたくて作った浅蜊の佃煮なのによぅ」

江戸に戻るなら無駄になるだろう、と旅籠の主に言いつけて、握り飯の具にさせた清右衛門だった。

「あ、痛たたた」

馬上で姿勢を変えると、また腰がじくじくと痛みだす。馬の手綱を引く馬子が、三人の様子を眺めて、けっけと笑った。

何処の桜か、花弁が風に舞い、馬の鬣に止まる。

花だよりを届けるはずが、こんな顛末になってしまった。

「畜生め」

何としても腰を治して、必ずやお濤坊に会いに行く。絶対に会いに行くからな、と種市は固く心に誓う。

「旨いな、坂村堂」

「はい、清右衛門先生」

種市の心を知ってか知らずか、二人は浅蜊の佃煮に舌鼓を打つ。

箱根八里はぁ　馬でも越すがぁ

春霞のもと、馬子が良い声で歌い始めた。

涼風あり——その名は岡太夫

蟻は何故、行列を作るのか。

一列に並んで乱れることがないのは何故か。

巣穴から餌までの道のりを、何故、迷うことなく行き来できるのか。

梅雨の晴れ間、小野寺家の庭の老い梅の下に佇み、半刻（約一時間）ほども乙緒は蟻の行列を眺めていた。どれほどそうしていても、飽きることがない。

後ろに目があるわけではないが、縁側に控えている侍女たちが気味悪そうにこちらを見ているのを了知していた。侍女らにしてみれば、奥方さまが一体何を見て、何を考えているか、さっぱり理解できないのだろう。

十七歳で御膳奉行の小野寺数馬に嫁いで早や六年。悠馬という嫡男にも恵まれて、婚家にしっかりと根を下ろした……と言えるかどうか。

侍女たちが乙緒のことを陰で「とにかく変わっている」だの「何を考えているのか、よくわからない」だの、果ては「能面のようだ」と評していることも把握している。

だが、乙緒自身は、そうした評価には別段、戸惑いも腹立ちも覚えない。むしろ、

「能面」という見立てには、はたと手を打つほど得心していた。

乙緒の父、沢渡昌延は大目付という役を仰せつかっている。旗本でありながら、諸大名を監督する立場にあるため、常に立ち居振る舞いには気を払う。弱みを見せぬよう如何なる時も動揺せず、喜怒哀楽を面に出すことなど、まずなかった。生母が早逝したため、乙緒は二つ違いの兄とともに、父には厳しく育てられた。父がことに戒めたのは、心のうちを露わにすることだった。心はひとを形作る尤も大切なものだからこそ、易々と読み解かれてはならない、と。

幸い、乙緒の眼は糸を引いたかの如く細い。無愛想な顔つき、所謂「仏頂面」をしていれば、心の起伏は外には現れない。何時しか、沢渡の屋敷の者たちは乙緒のことを「笑わぬ姫君」と呼んだ。

生母がさる老中の遠い遠い極めて遠い縁者だという、本人にとってさほど意味を持たない出自であっても、ありがたがる者はいる。それに、沢渡家のひとり娘、という事実。一家安泰のため、父に命じられるまま、十五歳で一度、乙緒は他家へ嫁いだ。しかし、引取がなかったため「嫁いだ」という実感も抱けず、夫の顔もその声も覚えきれないうちに、一年と経たぬ間に離縁となった。正直、悲しいとも苦しいとも思わなかった。

婚姻とは家と家とが結び合うもので、必要がなくなれば解かれて当然、むしろ、実生活を伴わないなら、離縁して解放してくれる方が親切というものだ。いっそ清々しい気持ちでいたところに、小野寺数馬との縁を取り持つ者が現れた。

家としても格下、娘よりも十七も年長で、おそらく出世の見込みもないだろう御膳奉行との縁組を、父が認めたのは何故か。その理由を確かめたことはないが、前回の離縁という結果を受け、父親として、娘の人生を駆け引きから最も遠いところへ置こうと決めたのではないか——乙緒はそう捉えていた。

ともかくも、妻に、と望まれ、「笑わぬ姫君」が二度目の婚姻で「能面」に育った、というわけだ。ことに、悠馬を出産して両の眉を落としたことから、仏頂面が一層、顕著になった。

「ははうえ」

何時の間にか、息子の悠馬が傍らに立っていた。母に似ず、二重瞼の大きな眼がとても愛くるしい。

ふっくらした頬が柔らかそうで、その小さな身体を抱き上げてすりすりと頬擦りしたくなる。決してしないけれど。

悠馬は母が蟻の行列を観察していたことに気付き、自分も腰を屈めて地面に顔を近づける。

「ははうえ、ありはどうして、つながってあるくのですか」

「母にも謎です」

乙緒が短く応えると、悠馬は小首を傾げ、手を伸ばして拳大の石を拾い上げた。蟻の行列の間にその石を置いて分断すれば、後列の蟻は少しばかり右往左往する。しかし必ず石を越えて、先を行く蟻たちの歩いた道を見つけ出し、律儀に後に続く。

「おお」

歓声を上げる息子の横で、乙緒も心の中で感嘆の声を洩らす。もちろん、剃り眉さえ動かさない。

悠馬は母を見上げ、にっこりと笑った。そして、母に向かって片腕を伸ばし、その手をぎゅっと握った。

幼い息子は握る手で、母親をどれほど慕っているかを教えてくれる。伝わるかどうかは謎だが、乙緒も悠馬の手を優しく握り返した。

「奥方さま、奥方さま」

用人の多浜重光が縁側を下り、転がるようにこちらに向かってくる。

「お姫さまが、もとい、早帆さまがお見えでございます」

その言葉も終わらぬうちに、縁側に早帆が姿を現した。裾に柳と燕をあしらった白藍の単衣が目にも涼し気だ。乙緒より十四も年上だというのに、おまけに男ばかり五人の子持ちだというのに、何とも若々しく、潑溂として見える。乙緒にとってはこの義妹こそが、驚異そのものであった。

「おばうえ」

悠馬が母の手を握ったまま、早帆の方へと駆けだした。

「悠馬」

早帆は縁側からさっと下りて、身を屈め、悠馬に向かって両の腕を差し伸べた。

「あら、また背が伸びたのですね」

可愛くて堪らない、とでも言いたげに、早帆は悠馬の頰に自分の頰を擦り付けた。二日前に会ったばかりだ。背が伸びるの伸びないの、という話ではない。冷静な感想を口にする代わりに、乙緒は夫の妹に敬意を込めて一礼し、居並ぶ侍女たちにお茶の用意をするよう命じた。

「先日は大五郎を見舞うてくださり、ありがとうございました」

お陰様で今朝、床上げをしました、と早帆は丁寧に頭を下げる。駒澤家の末子は夏風邪で臥せっていたのだ。

「それは宜しゅうございました」

鷹揚に頷きながら、乙緒の眼は、早帆の傍らに置かれた風呂敷包みを捉える。大きさからして、中身は重箱だろうか。

嫌な予感がする。

心なしか、お茶を運んできた侍女たちが慄いて見える。

兄嫁の眼差しが傍らの包みに向けられているのに気付いて、早帆は嬉しそうに、実は、と結び目に手をかけた。

「暑気払いに、と少し悪戯してみたのです」

風呂敷から螺鈿細工の重箱を取り出して、蓋を開く。

「見場は少し悪いのですが、味は良いのです」

早帆は笑みを浮かべると、自信ありげに容れ物を傾けて見せた。中に、何やらぐちゃぐちゃに潰れた赤いものが詰められている。

お茶を置きかけていた侍女が、ひっ、と奇妙な声を洩らした。ほかの者たちも腰を浮かせている。

これは、と乙緒は重箱に顔を寄せて、まず匂いを嗅いだ。焦げた臭いの奥に甘い芳香が潜んでいた。細い目を見開いて中身を注視すれば、赤いものの中に、小さな丸い塊が混じる。塊が種と知れて、うむ、と乙緒は頷いた。

目を転じれば、庭の老い梅がたわわに実をつけている。亡くなった姑がその甘い香りを好んだため、小野寺家では梅の実は捥がずに熟すままにしてあった。確か、駒澤邸の庭にも梅の樹があったはずだ。

「梅、ですね」

「ええ。梅の実は身体に良いと言いますから、蜜煮にしましたの」

ほほほ、と早帆は手の甲で口もとを押さえた。

梅の蜜煮か、とその場に居合わせた全員が思ったことだろう。言われなければ到底、誰も正解には辿り着けない。

ぐちゃぐちゃの蜜煮に目を落とし、乙緒は考える。

何故、青梅を使わないのか。乙緒自身は料理をしないが、せずともわかる。熟した梅は皮が破れ易いし、実が柔らか過ぎて無残な仕上がりになる。そう、このように。思うことは沢山あるが、乙緒は微塵も面に表さず、丁重に重箱を受け取った。

「早帆さまお手ずからの蜜煮、まことにありがとうございます」

早帆は、どういたしまして、と上機嫌で応えて、

「料理は愉しゅうございますよ、義姉上さま。それに、殿さまにも『旨い、旨い』と沢山召し上がって頂けますもの」

と、幸せそうに笑みを零す。

大丈夫なのか、この夫婦は。

迂闊にも顔が曇りかけて、乙緒はすっと背筋を伸ばした。

乙緒にしてみれば、目の前の早帆も謎だが、その夫はさらに謎だった。だが、当人同士が幸せならば、こちらが案ずることではない。早帆の夫、駒澤弥三郎の熊のような風貌を思い起こして、乙緒は自身に言い聞かせた。

鮎の塩焼き、新牛蒡と青柳の金平、蓴菜の味噌汁。

塩焼きには蓼酢が添えられ、汁椀には甘い赤味噌が用いられている。新牛蒡と貝の取り合わせは、数馬好みの味だ。膳の上の料理の味を一つ一つ確かめる。

「よい」

箸を置くと、乙緒は厳かに告げた。

「いずれも、よい」

「では、夕餉の膳はかように」

重光もまた恭(うやうや)しく応え、膳を手にして下がった。

小野寺家では専(もっぱ)ら料理だけをする奉公人を抱えている。献立を考え、調理をするのはそうした料理人であった。料理人から提案を受けて献立を決め、仕上がった料理の味を確かめるのは、奥方である乙緒の役目だ。

姑の里津(りつ)が生前、包丁を握る姿を見たことはないし、旗本の妻とはそうしたものだと思っていた。乙緒にとっての常識を覆したのは、義妹の早帆だった。

何故、早帆が料理をする必要があるのか、乙緒には今もって納得のいく答えを見いだせない。

料理人を凌(しの)ぐほどに腕が立つならば、邪魔をせぬ程度に包丁を使えば良い。だが、料理が好き、と言いながら、あの上達の無さはどうか。付き合わされる者にとっては迷惑以外の何物でもなかろう。乙緒は件(くだん)の梅の蜜煮の末路を思った。

ふと、何か動くものが目に映った。畳の端に蜘蛛(くも)がいる。細長い胴、長い脚には黒黄の縞(しま)があった。動きが緩慢(かんまん)なのは弱っているからか。ここに居ては退治されてしまう。乙緒は懐紙を取り出して、そっと蜘蛛を移した。

窓のない座敷を出て、座敷から座敷へと移り、仏間の窓から腕を差し伸ばしたところで、

「何をしている」

と、背後からふいに声をかけられた。

夫の小野寺数馬だった。

殿の戻りを伝える声が響いたはずだが、耳に届いていなかった。

珍しく言い淀む妻に、数馬は軽くその手首を摑んで戻し、懐紙の上の蜘蛛を認めた。

「面白い」

乙緒の意図を酌んだのか、数馬はくすりと鼻を鳴らす。

妻から懐紙を取り上げて、窓の外の苔の上へと蜘蛛を逃がした。

「腹が減った、飯にしてくれ」

無造作に懐紙を懐に突っ込むと、数馬はさらりと命じた。

鮎は箸を揃えて身の上からぎゅっぎゅっと幾度か押さえると、骨離れが良くなる。

乙緒は夫の食べる姿を見て覚えた。

このひとは何処でこうした技を学ぶのか。時々、町人風の口の利き方をすることも相俟って、乙緒には大いに謎だった。妹夫婦のことといい、小野寺の家は乙緒にとって謎の宝庫だった。

「重光から聞いたが、早帆が来たそうだな」

「はい、梅の蜜煮を頂戴しました」

妻が答えると、数馬は鮎を食べる手を止めて顔を上げた。眉間に深い皺が刻まれている。

「容赦は要らぬ、捨てよ」

「そういうわけには参りませぬ」

乙緒は丁重に応えた。食べるものを、ましてや早帆が自ら作った料理を、躊躇いなく捨てられる道理もない。

そうか、と数馬は難しい顔で、鮎の頭を押さえて身から外した。太い骨が美しい形のまま、すっとついてきた。

「私は食わぬ。お前も食うな。悠馬にも食わせてはならぬ。重光も齢だから勘弁してやれ」

その結果、侍女や奉公人たちが涙ながらに呑み込むことになる。べしゃべしゃの赤飯、がちがちの柏餅、にちゃにちゃの佃煮などが同じように始末されてきた。

酷いことだ、と乙緒は内心強く思う。

料理を作った本人は、おそらく味見をしていないのではないか。否、味見をして、その上で他人に食べさせたい、と思っているのだろうか。理解の及ぶところを遥かに超えて、悶絶しそうになるが、無論、表情には出さなかった。

「うむ、旨いな、これは」

鮎を平らげ、小鉢に箸を伸ばして口に運ぶと、数馬は満足そうにぎゅっと目尻に皺を寄せる。

新牛蒡を千切りにして甘辛い金平を作り、下味をつけておいた青柳を加えて仕上げれば、ちょっとした逸品になる。思った通り、夫の好みの味だった。

このひとは、どうしてこうも美味しそうにものを食べるのか。

乙緒は何時もながら夫の旺盛な食欲に感じ入った。

口数もそう多くはない。飄々として、掴みどころがないのも、お互い似ている。

唯一、食に関してのみ、夫は極めてわかり易かった。

この家に嫁いで間もない頃から、食事の時の夫の様子に随分と慰められてきた。

当人に伝えたことはないし、そのつもりもないけれど、美味しいものを口にした時の目尻の皺を、乙緒はとても好ましい、と思っている。

「おお、そうだ」

膳の上の料理を全て綺麗に平らげて箸を置くと、数馬は乙緒を見た。

「二十日の夜、弥三郎が顔を出す。そのつもりでいるように」

「明々後日でございますね」

承知いたしました、と乙緒は明瞭に応えた。


雨を免れた一日が終わろうとしていた。蒸し蒸しと暑い夜で、風を通すため、座敷を仕切る襖は開け放ってある。

仏間から控えの間を抜けて寝所へ移ろうとした乙緒は、瓦灯の明かりのもと、縁側に人影を認めて足を止めた。大きな背中と小さな背中が仲良く並んでいる。とうに寝入ったはずの幼い息子が何故、父とそこに居るのか。二人して何を見ているのだろう、と乙緒は庭へと目を向ける。

黒々とした庭影、菖蒲の群生の辺りに、幾つもの光があった。優しく瞬いたり、ふわりと飛んだりする、あれは蛍だ。

四十歳と五歳、男二人の蛍狩りか、と乙緒はふっと微かに口もとを緩めた。

屋敷の皆の眠りを妨げぬよう、ぼそぼそと父子は小声で話し合う。心惹かれて、乙緒は耳を欹てた。

「そうか、蟻か」

数馬の声が耳に届く。

「満開の花菖蒲でも咲き始めた桔梗でもなく、母上と一緒に蟻を見ていたのか」

「はい、ずっと、ずーっと」

息子の返事に、父親は堪らず声を上げて笑う。そして、しまった、とばかりに横を向き、掌で口を覆った。

「悠馬の母上は面白いのぅ。実に面白い」

声を落として、数馬はくっくっと肩を揺らした。

まただ、と乙緒は緩んでいた唇を引き結ぶ。

夫は乙緒のことをしばしば「面白い」と評する。しかし、乙緒は生まれてからこのかた、自身のことをただの一度たりとも「面白い」などと思ったことはない。語調からすれば、貶める意図ではないようだが、誉め言葉とも捉え難い。

謎だ、と乙緒は思い、二人に見つからぬよう、足音を忍ばせてその場を去った。

乙緒の夫、小野寺数馬は、御膳奉行という役職にある。恐れ多くも公方さまが口にされる食の全てに関して責任を持つ立場だった。竹馬の友で、早帆の夫でもある駒澤弥三郎は小納戸役御膳番を務める。役務柄、知恵を貸しあうことも多い。

水無月十六日は、嘉祥の儀と言って、大名から小普請に至るまで全員がうち揃い、公方さまより菓子を賜る儀式が、千代田の城で催される。

幕府の威信をかけた行事でもあり、それに携わる者は準備に追われている。「知らぬ顔の半兵衛」を決め込みたい数馬だが、そうもいかないのだろう。弥三郎が数馬のもとを訪れるのには、そんな事情が横たわるものと思われた。

「今夜はまた、やたらと蒸し暑いな」

熊と見紛うばかりの大男が、小野寺家の奥座敷に座るなり、水浅黄の帷子の襟元をはだけた。

暑い、暑い、と言いながら、坊主に剃った頭から首筋までを丁寧に手拭いで拭う。

「弥三郎は相変わらず暑苦しいのぅ」

ばたばたと団扇で風を送ってやりながら、数馬はほろ苦く笑った。

酒にしてくれ、と夫に命じられて、控えていた乙緒は、はい、と銚子の柄を取った。

茗荷の梅酢漬け、鰯の梅煮を青紫蘇で巻いたもの、さっと火取った一夜干しの鯵、そろそろ終わりの蚕豆は鞘ごと焼いて塩を添えてある。弥三郎の来訪に備え、料理人に仕度させた肴だった。

義姉の酌を受けて弥三郎は盃を干し、まずは蚕豆に手を伸ばす。指を火傷しそうになりながら焦げた鞘を外し、翡翠色の豆を取り出した。塩をちょいとつけて口の中へ。旨い、の一声を待つのだが、義弟は無言だった。鯵にかぶりついた時も、茗荷で口を直した時も、黙ったままだ。

何故に、と乙緒は内心、じりじりと焦れる。

一体、「旨い」は何処へ行ったのか。早帆の手料理には必ず舌鼓を打つはずが、料理人の作った肴に対してその仕打ちは如何なものか、と。顔のどの造作も微動だにさせず、乙緒は少しばかり憤っていた。

「常々思うのだが」

乙緒に酒を注いでもらい、弥三郎は数馬と乙緒を交互に眺める。

「義兄上たちは実に静かな夫婦だな。うちとはえらい違いだ」

「義兄上は止せ、気味が悪い」

怖気が立ったのか、数馬は両の腕を交互にさすってみせた。

「何せお前のところは猛獣と猛獣使いの夫婦ではないか。それに比すれば大抵の夫婦は静かなものだろう」

もとより夫婦と客人だけの座敷を、数馬はぐるりと見回して、声を低める。

「重光から聞いたが、弥三郎、お主、また早帆に投げ飛ばされたそうだな」

そう言って、相手の手首を軽く摑んで捻れば、袖口から覗く前腕の内側に青い痣が残っていた。

「人聞きの悪い」

義兄の手を振りほどいて、弥三郎はぎょろりと睨む。

「足払いをかけられただけだ。古い錦絵を後生大事に持っておるのが気に入らん、というてな」

吉原の伝説の太夫を描いたものだと聞いて、まだそのような、と数馬は苦笑した。

「互いに惚れて惚れて、惚れ抜いて夫婦になったのは確かだろうが、今以て熱いことだ。俺には逆立ちしても真似できん。まぁ、真似たくもないがな」

そこまで話して、数馬は腕を伸ばし、妻から銚子を取り上げた。あとは二人で勝手に遣るから、と告げられて、乙緒は座敷を辞した。

宴席を離れたものの、銚子が軽くなっていたのが気になった。足らずの分を運んでおこう、と決めて、台所へと向かう。

奉公人に酒を用意させると、皆の手伝いを拒み、乙緒自ら角盆を手にする。目指す座敷の前まで来た時、中から弥三郎の声がして、乙緒は立ち止まった。

「俺ならば辛い、途方もなく辛いぞ、数馬」

ほろ酔い加減の、大きな声だ。

「女房殿というやつは、上機嫌でころころと笑っておればこそ、こちらの憂さも晴れるというもの。ああも仏頂面で居られては、料理の味も酒の味もせぬわ」

ほう、と乙緒は細い目を僅かに見張った。

弥三郎が料理を褒めなかったのは、そうした事情か、と。

しかし、傍らの女房が笑顔であろうが仏頂面であろうが、不味いものは不味く、美味しいものは美味しいのではないのか。

立ち聞きは不作法、と思いつつ、乙緒はついつい聞き耳を立ててしまう。

「お主はよくよく辛抱強いのぅ」

「そうでもないぞ、弥三郎」

夫の声が耳に届く。如何にも楽しげで、笑いを堪えているようだ。

「あれは大層、面白い女房殿だ」

「面白い？」

解せぬ、と酔っ払いは応じた。

乙緒もまた、解せぬ、と首を捻る。解せぬが、その先を迂闊に誰かに話してほしくはなかった。

乙緒はその場で足踏みして板張りを鳴らし、殿さま、と障子の奥へ呼びかけた。

姑の里津が亡くなったのは、六年前の弥生十日、桜花爛漫の頃だった。

女ながらに腕が立ち、早帆とともに幾つもの武勇伝を残した里津だが、晩年は腎の臓を患い、一日の殆どを寝て過ごした。

「乙緒の乙は『常に二番手』の意味がある。その名の通り、妻として夫を立て、嫁として家を支えよ」

そんな言葉を父から贈られ、乙緒が小野寺の家へ輿入れしたのは、里津が亡くなる十日余り前、如月二十八日の天赦日のことだ。しかし、実際は、里津の強い要望に従い、睦月の末から小野寺家へ通い、その家風を学んでいた。その間も含めれば、四十日ほどを嫁姑として過ごしたことになる。

初日に巻物を渡され、一言一句誤ることなく諳んじるよう求められた。

家宝の扱い方に始まり、親類縁者との付き合いに至るまで、実に事細かく叩き込まれた。たとえ僅かでも意に添わぬと、閉じた扇で手の甲をぶたれた。

病人のはずが、思いがけぬ力だった。あまりの容赦のなさに、用人の重光を始め一同がわなわなと打ち震えた。

だが、どれほど厳しくされようとも、乙緒は泣くどころか顔色ひとつ変えない。もう長くはない、ということは誰の目にも明らかだったし、その心残りを少しでも減らすことが自身の使命だと、乙緒は思っていた。二人の間柄は通常の嫁姑というよりは、これまで培ってきたあらゆる英知を残そうとする者とそれを受け継ぐ者、という同志のような関係だった。

あれほどまでに濃密な関わりを、今後、誰かと結ぶことなどないように思う。そのせいか、乙緒は時折り、無性に姑が恋しくなる。

姑上さまがおいでなら、とここ数日はことに思ってしまうのだ。

眠れないまま、乙緒は寝返りを打った。

雨音が間断なく続いている。寝所の窓の外、葉蘭の葉を雨が鳴らしていた。土の匂いと雨の匂いが部屋にこもる。無理にでも眠ろうと目を閉じていたが、乙緒は根負けして、蚊帳の中で半身を起こした。

何処から紛れ込んだのか、蛍が二匹、蚊帳に止まって光を放っていた。

――互いに惚れて惚れて、惚れ抜いて夫婦になったのは確かだろう

夫の台詞を、乙緒は反芻していた。

何故、そこに拘るのか、自分でもわからなかった。

悩み事というのは、筋道を立てて考えれば解決策が見える。考えても仕方のないことは悩まない。

そうした処世術を身につけていたはずが、今回ばかりは埒が明かなかった。

早帆と弥三郎のように惚れあって結ばれた夫婦ではない。

別にあの二人のようになりたいわけでは決してない。ああした関係は乙緒にとっては驚異以外の何物でもなかった。

それなのに、この表しがたい寂寥は何だろうか。

乙緒は開いた掌をそっと胸にあてる。

この六年、夫から甘やかな言葉をかけられたことなど一度もなかった。思いの丈を告げられることなど、おそらく生涯ないだろう。

いや、と乙緒は軽く頭を振った。ひとのことは言えない、と。

乙緒にしても夫に心を明かしたことはないし、これからも明かさないに違いない。

性根というのはそう簡単には変えられないのだ。

優しく点滅する蛍の光に目をやって、乙緒はぼんやりと考える。

——短い間ではあったが、乙緒には良う尽くしてもらいました。形見の品を、と考えたけれど、形のないものを残そうと思うておるふと、耳もとに里津の声が蘇った。

亡くなる二日前、伝えるべきことは全て伝えて肩の荷が下りたように思ったのだろうか、珍しく気分が良いから、と里津は床を離れた。人払いした座敷に、小さな鍋と漉し器、木べら、匙、水と砂糖、それに火鉢を運ばせた。何が始まるのか、と見守る乙緒の前で、里津は小引き出しから紙袋を取り出す。

「五年ほど前に、亡父の里、鹿角から贈られたものを、大事に大事に使うて参ったが、いよいよ、これが最後」

愛おしそうに紙袋を揺すって、灰色の粉を鍋に空ける。

「時折り、無性に父が恋しくなると、密かに作ってひとりで食していたのです」

夫にも子にも食べさせたことはない、と里津は愉しげに言い添えた。

材料を混ぜ合わせ、一度漉し器で漉して、火にかける。木べらで鍋底に円を描くようにして掻き混ぜれば、温まるに従い、徐々に色が変わって粘り始めた。里津は気を抜かず、一心に練り続けた。木べらが動きにくくなるほど中身がまったりと練り上がったところで、匙で少しずつ掬い取って水に放ち、冷やす。

「きな粉をかけても良いが、まずはこのまま」

水気を切って塗りの器に装い、嫁の前に置くと、里津は厳めしく命じた。

見た目は、限りなく黒々と黒光りしている。

五年も前の粉を、と乙緒は案じたが、出来上がったものを口にして、あっ、と声が洩れた。口に含んだ刹那、ひんやりと心地よい。そっと奥歯で嚙めば、何とも軟らかい。そのくせ、やんわりと歯を押し返してくる強さもある。

これまで食したことがないが、見た目に反して何とも言えず滋味に溢れた味わいの菓子だった。

「珍しいことよ、乙緒の眉が開いた」

里津は愉しげに声を立てて笑う。

「姑上さま、この菓子の名は何と申すのでしょう」

嫁から問われ、里津は「わ」と言いかけて口を噤んだ。

少し考えて、ふっと軽く笑みを浮かべる。

「その名は岡太夫、岡太夫というのです」

岡太夫、と繰り返し、乙緒は問いを重ねた。

「この菓子を考えたひとの名でしょうか」

何もおかしなことを尋ねた覚えはないのだが、里津はお腹を押さえて笑い続けた。目に涙まで溜めている。これほどまでに大笑する姑を見るのは初めてだった。

よほど体調が良いのだ、と乙緒はしみじみ嬉しくなる。自分でも目もとが自然に緩むのがわかった。

そんな嫁の様子に、姑は笑いを収め、乙緒、と両の手を取った。

「乙緒、そなたは小野寺家の宝です。なれど、心を見せないそなたと、それを酌もうとしない数馬との間に、埋めようもない深い溝が出来たなら何とする。そなたひとりが苦しみ、思い詰めたなら何とする。そのことが、私には案じられてならぬのです」

我が息子は芯の通った男ではあるけれど、どうにも鈍いところがある。自分が生きていれば間に立つことも出来るが、亡くなったあとでは何もしてやれない。

「そうした時には、数馬に『岡太夫が食べたい』と伝えなさい。この私に、そう言うよう命じられたと、しかと伝えなされ。あれも馬鹿ではない、きっと、きっと考え抜くであろう」

これが私の残す形見じゃ、と里津は言い、温かく笑ってみせた。

六年前のその日を思い起こせば、乙緒の心は柔らかさを取り戻す。得体の知れない寂寥は去り、代わりに安寧が訪れた。

——姑上さま、乙緒は大丈夫でございます。岡太夫殿にはまだまだご出馬頂かなくとも、大丈夫でございます瞼の裏に映る姑の笑顔に「大丈夫です」と繰り返し伝え、乙緒は優しい眠りに落ちていった。


小野寺家の裏庭は、畑になっている。

持高勤め三百俵、役料二百俵。御膳奉行の多くが持高二百俵ゆえ、小野寺家は僅かながら恵まれている。それでも、旗本としての暮らしを維持するには、色々と切り詰める必要があった。

用人重光の管理のもと、小野寺家の畑では、春夏秋冬、様々な青物が育てられる。今は茄子、青紫蘇、隠元に茗荷が盛りだった。

乙緒は青物が育つところを見るのが好きだ。もう最後の収穫を終えたが、蚕豆などは見飽きる、ということがない。茄子に鋭い棘があり、刺さると痛い、ということもこの畑で学んだ。

「奥方さま」

腰を屈めて枝豆の様子を見ていた重光が、乙緒を認めて慌てふためいた。

「このような下肥えの臭いのするところに、奥方さまがいらしてはなりませぬ。皆の者に示しがつきませせぬぞ」

重光は言って、背後のものを庇うように両腕を広げて立ちはだかる。忠義の用人が隠しているのは、胡瓜に違いなかった。

その切り口が徳川家の家紋に似ていることから、武家では胡瓜を口にすることは禁忌だった。しかし、小野寺家の殿は困ったことに胡瓜が大好物なのだ。

もちろん、調理の際には擂粉木を用いて叩き、不敬にならぬよう用心はする。だが、そもそも屋敷内の畑で胡瓜を育てること自体、大いに問題だった。

「気にせずとも良い」

少しも表情を変えずに応えて、乙緒は傍らの枇杷に手を伸ばす。

朱色の実が日に日に色づき、大きくなっていた。種が大きいのであまり好まない枇杷だが、数馬もそれに早帆も幼い頃より競って食した、と聞いている。

「重光、初生りを早帆さまに差し上げ」

言いかけて、乙緒はふと思い返す。

梅の蜜煮が入っていた容れ物、螺鈿細工の重箱を預かったままだった。あれに枇杷を詰めて返そう、と。

三番町にある駒澤家の屋敷に行くには、富士見坂を下り、一口坂を上る道順が最もわかり易い。おまけに眺望が素晴らしいのだ。

以前、夫もこの道筋を選ぶ、と聞いて妙に納得したことがあった。乗り物を降りて富士見坂に立ち、この目で富士を愛でたいのは山々だが、許されることではない。せめても、と御簾に少し隙間を作って、風を取り込んだ。

一口坂は、「いもあらいざか」と読む。通る度に、その名の由来に思いを馳せる乙緒である。坂ばかりを選んで歩くため、侍女には良い迷惑だろうが、弥三郎の屋敷はじきだった。

「これはこれは、何よりのものを」

駒澤家の奥座敷で、重箱の蓋を取って中身を確かめた早帆は、華やいだ声を上げる。五人の息子たちはそれぞれ武術に学問に、と出払い、早帆は侍女らとともに着物の手入れをしているところだった。

「枇杷は実を食して良し、葉は枇杷葉湯にして暑気払いに良し。湯島の別邸の庭にも大きな樹があるのですが、やはり味わいは小野寺のものに敵いませぬ」

大きな丸い一粒を、早帆は愛おしげに手に取った。

「常はこのまま皮を剝いて食べるだけですが、今年は蜜煮に挑んでみましょうか」

座敷の左右に控えていた両家の侍女たちに、何やら緊張が走った。中には涙ぐむ者も居る。

「それとも、目先を変えて味噌漬けなどは如何かしら」

味噌漬けと聞いて、乙緒はうっかり唇を歪めそうになった。

ねぇ、義姉上さま、と早帆から水を向けられて、乙緒は背筋を伸ばす。

「枇杷は手を加えず、そのまま食すのが一番、と心得ます」

ほっ、と幾つもの息が洩れ聞こえる。常は能面だの変わり者だのと陰口を叩いているはずの侍女たちが、一斉に感謝の眼差しを乙緒に向けていた。

「そうですね、では、そうしましょう」

年上の義妹は、少しばかり残念そうな表情を見せ、重箱の蓋を閉じた。

障子を開け放った座敷に、心地よい風が吹き抜けていく。両国の川開きを五日後に控え、梅雨明けも間もなくだった。

「嘉祥の儀が迫ると、御膳奉行も小納戸役御膳番も、奥を預かる私どもも、何かと落ち着きませぬ。水無月になればなおさらでしょう」

ゆるりと過ごせるのは今だけかも知れませぬ、と早帆は目を細める。

「今年、初めて金糸梅が花を咲かせましたの。面白いのは、花よりも葉の方が香るのですよ。義姉上、少しお持ち帰りになられませぬか？」

庭に目を遣って、早帆が提案した。早帆の脇に控えていた侍女らが競って腰を浮かした。

「構わぬ、私が手折ります」

「早帆さま、私も参ります」

連れてきた侍女二人を眼差しで制して、乙緒は立ち上がり、打掛を絡げた。

小野寺邸よりも広い庭には、春夏秋冬、様々な花が咲くように工夫がなされている。侍女を伴わず、二人だけで庭を歩くのは、思えば初めてのことだった。

「殿さまを除いて、この屋敷では誰も、私の手料理を喜びませぬ。わかってはおるのですが、これでも昔に比して、随分と腕を上げたのですよ」

問わず語りのように、早帆は言う。

ほう、と乙緒は微かに細い目を見張った。では腕を上げる前はどうだったのか、という義姉の抱いた素朴な疑問を察して、早帆は恥ずかしそうに頬を染める。

「料理には充分な下拵えが要る、ということを知らぬままでした。おまけに、火を通すことに、あまりにも重きを置き過ぎていたのです」

えぐいばかりの煮しめ、焦げ焦げの焼き魚、湯豆腐が軽石と化してしまったこと、等々。

「ほんに、酷い料理ばかり作っておりました。思い出せば冷や汗が流れまする」

ほほほ、と早帆は品よく口もとを押さえた。

さようでございましたか、と乙緒は寛容に応えたが、それにはかなりの辛抱が要った。赤飯も柏餅も佃煮も、義妹の言う「腕を上げた」品だったのか、と顎が外れそうだった。

ただ、一点、気になることがある。

「何が上達のきっかけになったのでございますか？」

乙緒の問いかけに、早帆はすっと視線を外した。逡巡しているような間があった。

「料理人に教わったのです。俎橋の傍に『つる家』という評判の料理屋があり、そこで働いていた女料理人に」

女料理人、と乙緒は語尾を上げて繰り返した。

乙緒自身は外で食事を取ったことがないが、大抵の場合、料理人は男ではないのか。女が料理を生業にするとは信じ難い。

「そう、女の料理人です」

義妹はこっくりと頷いた。

「困ったことがあれば両の眉を下げて、喜怒哀楽が手に取るようにわかる。おそらくどこにでもいそうな町娘でありながら、料理の腕一本で、小さな店を料理番付に載るまでにしたひとです」

早帆の声が追懐の情で揺らいでいる。その女料理人に何か格別な思い入れがあるのは明らかだった。

だが、女が、それも旗本の奥方という身分のある女人が、街なかの小さな料理屋へ入って食事を取るなど聞いたことがない。早帆は一体どのようにして料理人と知り合い、友情を深めたというのだろう。

ふいに乙緒は、今朝、用人重光から聞きだしたばかりの秘話を思い起こした。

数馬がその昔、浪士に身をやつし、市中の料理屋へ足を運んで、巷でどのような料理が流行っているか調べていた、というものだ。御膳奉行として見聞を広めるため、と重光は話していたが、建前はともかく、御膳奉行という重責から逃れて、数馬はさぞかし庶民の味を堪能したことだろう。夫についての謎が少し解けた思いだった。

その「つる家」の女料理人とも、もしや数馬繋がりではなかろうか。そう考えるのが最も自然であるように、乙緒には思われた。

二人の間に奇妙な沈黙が流れ、早帆ははたと手を打った。

「そうそう、金糸梅でしたね」

こちらです、と当初の目的を思い出し、早帆は奥へ奥へと乙緒を誘う。

瑞々しい青葉の茂みの中に、艶やかな黄色の花弁を開いているのがそれだった。花の形が梅に似るが、何とも品のある佇まいだ。

「あら、こんなところに」

金糸梅に鋏を伸ばしかけて、早帆はふと、手を止めた。柔らかな緑と黄色に混じって、別の花が顔を覗かせている。

房状の可憐な赤い花は、密やかに、しかし懸命に、天を目指して咲く。

「駒繋ぎでございますね」

乙緒も身を屈めて花を覗き込んだ。

一見、とても健気で可愛らしい姿ながら、駒繋ぎはその名の通り、馬でも繋ぎ止めておけるほど強く根を張る。小野寺の屋敷の傍の蛙原にもこの時季、群れ咲いている。乙緒がとても好きな花だった。

早帆は鋏を置き、駒繋ぎの花を労わるように撫でた。

「花にたとえれば駒繋ぎ、食にたとえるなら煎り豆……」

突然どうしたのか、と乙緒は早帆の横顔に視線を注ぐ。それに気付いて、早帆は弱々しい笑みを浮かべた。

「女料理人のことを、そう言い表したひとがいました。まさに、如何なる困難に遇っても、常に顔を上げ、高みを目指す姿がよく似ているのです」

別に隠しておくことでもないでしょうから、と前置きの上で、早帆は金糸梅の枝をゆっくりと切り落としながら続けた。

「そのひとは、澪さんは、兄を深く想うていたのです。それはもう、いじらしいほどに。何とか道を探して、二人が一緒になる生き方を選びかけたはずが」

両の耳を塞いでしまいたい、と咄嗟に乙緒は思った。雷鳴にも怯まないはずが、早帆の声が、否、話の内容が耳に突き刺さる。

義姉の思いに気付くこともなく、早帆は一気に吐き出した。

「兄は心変わりをしたのです。聞くに堪えない言い訳をして、澪さんを打ち捨ててしまった。つまるところ、兄にはそこまでの覚悟がなかったのです」

鋏の手もとが狂って、花の頭が落ちる。早帆は構わずに枝を切り続けた。辺りが陰り、地に落ちた花の黄色だけが鮮やかだ。

違う、そうではない。

義姉の手前、早帆が言明を避けた内情に、乙緒は気付いていた。

数馬の方でも、真実、女料理人に心を惹かれていたのだ。それこそ、「互いに惚れて惚れて、惚れ抜いて」夫婦になろうとしていたのだろう。心変わりの原因は、乙緒との縁談が持ち上がったことと無縁ではなかろう。

落ち着かねば、と乙緒は自身に言い聞かせる。早帆の前で取り乱すようなことがあってはならない。

「早帆さま、さほどで充分でございます」

乙緒は手を伸ばし、早帆の切り落とした金糸梅の枝を集めて胸に抱える。

名前など知りたくはなかった。

乙緒も好きな駒繋ぎに喩(たと)えられる女の名など、終生、知りたくもなかった。

そんな負の気持ちに呑み込まれぬよう、乙緒は姿勢を正し、早帆に暇(いとま)を告げた。


「ははうえ」

小野寺邸へ戻った乙緒のことを、重光を追い抜いて悠馬が迎え出た。留守中変わりがなかったかを尋ね、少し待つように命じて、控えの間へ向かう。

先刻より、胃の腑(ふ)がしくしくと痛んでいた。

侍女の手を借りて、打掛を脱ぐ。帯に差していた錦織の袋を抜き取れば、疲れがどっと出た。袋の中身は、沢渡の家紋入りの懐剣だった。武家に生まれなければ、刃を持ち歩くこともなかっただろうに。そう思えば、さらに疲れが増した。

「ははうえ」

奥座敷に戻った乙緒を見上げて、悠馬は双眸に不安を宿らせる。

「ははうえ、おかげんがわるいのですか？」

傍らで重光や侍女たちが、怪訝な表情を見せた。ほかの誰の目にも、常と少しも変わらない乙緒だった。

「大事ありませんよ、悠馬」

淡々と母は答えたが、息子はなおも心配そうに母の顔を覗き込んでいた。

幼い悠馬の懸念は、重光から数馬に伝えられたらしく、屋敷に戻った数馬は、座敷に入るなり乙緒をしげしげと眺めた。

「顔色は悪くはないようだが……。幹斉殿に診てもらうか？」

幹斉は御典医永田陶斉の長男で、陶斉に比して評判は今ひとつだが、乙緒の父の信は厚く、沢渡家の抱え医師でもあった。

「それには及びませぬ」

胃痛は続いているが、耐えられぬほどではない。乙緒は顔を上げてきっぱりと答えると、夕餉の仕度を急がせるべく立ち上がった。

「ふむ」

綺麗な箸遣いで豆を一粒、摘まみ上げると、数馬はじっと見入っている。

夕餉の一品に、昆布豆があった。戻した大豆と色紙に切った昆布を醤油と酒と味醂とでじっくり煮込んだものだ。

「豆が、どうかなさいましたか？」

乙緒は平らかに尋ねた。

「巧く煮てある、と思うてな」

熱のこもらぬ声で答えて、数馬は大豆を口に運んだ。

——食にたとえるなら煎り豆
早帆の言葉が、ふいに耳の奥で木霊する。

常ならば、会話はそこで終わるはずが、乙緒はさらに踏み込む。

「殿さまは大豆をどのように料理するがお好みでしょうか」

「珍しいな。そなたがそれほど問いを重ねるとは」

数馬は軽く首を捻り、それでも箸を止めて応じた。

「大豆はそのままで充分に素朴で旨い。従って、あまり手をかけぬ方が好みだ」

例えば、と言いかけて数馬はふっと黙った。

夫の返答を待つうち、胃の腑がどうにも痛んで、乙緒は思わず掌をあてがった。

「痛むのか」

妻の様子に気付いた数馬が、膳を押しやって、傍らへと移った。

「よもや、早帆の作った料理を口にしたのではあるまいな」

「決して」

そんな命知らずのことはしない、と乙緒は内心思いつつ、

「煎じ薬を呑んで休めば治りまする」

とだけ伝えた。

よし、と頷いて、数馬は乙緒の膝と背中に腕を回すと、易々と抱え上げた。

胃の痛みばかりではない、私は確かに変だ、と乙緒は思う。

些細なことが気になる。心が波立つ。落ち着かない。胃の腑が痛む。少しの頭痛と悪寒、それに匂いに敏感になった。思えば、ここ数日、乙緒は自身を持て余し気味だった。

夫の腕に抱かれて運ばれながら、乙緒は静かに自分を探る。こうした状態は、以前にも覚えがあった。

そう、新しい命をこの身に宿した時だ。

時折り乱れることもあったので、さして気にしていなかったが、ここ二月ほど、月の障りを見ない。胃の腑の痛みは、つわりの前触れかも知れない。

殿さま、と乙緒は夫を呼び、声を低めた。

「薬湯は不要です。代わりに明朝、産医をお呼びください」

寝所へと急いでいた数馬の足が止まる。

冷静な乙緒が産医の診察を望んでいる、という事実に数馬は、相わかった、とだけ短く応じた。

妻を抱き直すと、今度はゆっくりと慎重な足取りに変えて歩き始めた。

翌日、乙緒懐妊の報に、屋敷は喜びに沸いた。だが、皆の歓喜とは裏腹に、重いつわりが乙緒を襲った。その辛さは、初産の時の比ではない。

食べ物の匂いがするだけで胃の腑から苦いものが込み上げ、何も受け付けない。無理矢理に粥を啜るが、三口も食べられれば良い方だった。身体が重だるく、時折り、耐え難いほどの不安に襲われる。いずれ収まるからそれまでの辛抱、というのは頭では理解しているが、あまりに辛い。とうとう乙緒は寝込んでしまった。

甘えたい盛りの悠馬は、母の身体を慮って、座敷続きの縁側から中を覗くだけに留めている。可哀そうに思うものの、自分でもどうしようもなかった。

「奥方さま、せめてもう一口、お召し上がりくださりませ」

侍女では埒が明かず、重光までもが部屋の前に座り込んで懇願する。

日に三度、相手をするのが厄介になり、乙緒は「よい」と短く答えるのみで、あとは黙って背を向けた。

初めのうちは「病ではないのだから」と特段、妻の不調を気にかけていなかった数馬も、乙緒が寝込んで三日も経てば、案じるようになった。だが、乙緒自身にも何時、つわりから脱することが出来るのか、わからなかった。

どーん、どーん、と腹の底に響く音に、何事か、と乙緒は床の中で薄目を開ける。蚊帳越しに、縁側に置かれた瓦灯の光が揺らいでいた。

どーん、どーん、と再び轟く音に、ああ、そうだ、今日は両国の川開きだ、と思い至った。

そっとお腹に両の手を当てて、あれは花火ゆえ怖くはありませぬ、と宥める。

梅雨が何時明けるかは定かではないが、ひとつの目安になるのが、あの川開きだった。夜空を飾る打ち上げ花火は、この江戸に本格的な夏の到来を告げる。

乙緒は出かけたことがないが、小野寺家の奉公人らは、例年、九段坂の上から花火を眺めるのを楽しみにしている。

九段坂、と乙緒は口の中で繰り返した。九段坂を下りきったところに、俎橋は在る。

——そのひとは、澪さんは、兄を深く想うていたのです。それはもう、いじらしいほどに
俎橋の袂の「つる家」という店の女料理人、会ったこともない、その「みお」という相手のことを思えば、乙緒は何とも言えない気持ちになる。これまで一度たりとも抱いたことのない気持ちに。

困ったことがあると両の眉を下げる、という女料理人の逸話を思い出して、乙緒は自身の剃り眉を撫でる。眉を丁寧に剃っているので、下げようがなかった。

武家に生まれた者は、男であれ女であれ、体面を重んじ、家を守ることを第一義とする。数馬が女料理人ではなく、大目付沢渡昌延の娘を娶ることを選んだのは、至極当然のことではあった。乙緒は、数馬自身の意思により妻にと望まれたのだから、何も傷つくことはない。

幾度も幾度も自身にそう言い聞かせるのだが、その度にどうにも虚しくなった。

——兄は心変わりをしたのです。聞くに堪えない言い訳をして、澪さんを打ち捨ててしまった。つまるところ、兄にはそこまでの覚悟がなかったのです

早帆はそう話していたが、おそらく真実は違う。妹は兄の本質を見誤っている。たとえ身分違いであっても、しかるべき手はずを整えれば、添うことは出来る。早帆が味方に付いたのなら、駒澤家で武家奉公をさせた上で、小野寺家と釣り合う家柄の養女にすることを考えただろう。そうした御膳立てを全て放り出したのは、武家の体面を守るためでは決してあるまい。

小野寺家の嫁としての重責、包丁を懐剣に替えて生きる息苦しさ。駒繋ぎの花のような、煎り豆のような、そんな娘ならば、さぞかし辛いことになる。数馬はそこに思い至ったのではなかろうか。大事に想う相手なればこそ、武家の体面に雁字搦めにすることなく、自由に生きる道を選ばせたのではないか。

そう、たとえ妹や、あるいは家臣たちに誤解されたままだとしても、相手の安寧を守り抜く——小野寺数馬というのは、そうした人物だ。それが私の夫なのだ。

数馬の顔を思い浮かべる。好物を食す時の、目尻にぎゅっと寄る皺を思う。乙緒は闇の彼方へそっと腕を伸ばした。

そのひとの妻となり、子まで生し、今ひとつの新しい命を宿しながら、想われては

いない。

出来うるならば、己よりも相手の人生を重んじるほどに、想われたかった。心から愛おしい、と想われたかった。

だが、それも無理のないこと。

駒繋ぎの花のように健気で可憐な娘と恋をした男が、心を見せない能面のような女を娶った。何と酷(むご)いことだ、と乙緒は両の掌で顔を覆う。閉じた瞼(まぶた)から、じわじわと涙が滲(にじ)み始めた。自身の涙に会うのは、姑を看取って以来だった。

乙緒は心が弱っているのを自認せざるを得なかった。こんなことで涙が出るなどと、考えたこともなかった。

人前では泣かない。決して誰にも弱みは見せない。けれど、今だけはどうにも涙を止められない。乙緒は声を殺して泣いた。

遠くでまだ、花火の音が響いている。


水無月に入った途端、灼熱(しゃくねつ)の暑さが江戸の街を襲った。

何処に潜んでいたのか、と思うほど一斉に蝉(せみ)が鳴き、強い日照りで庭の土は白く乾いている。障子や襖を開け放っても、風はあまり通らず、座敷に熱が籠(こも)った。

つわりに暑気あたりが重なり、臥せっている乙緒は、ますます食が細って、周囲を案じさせた。

「ははうえ」

悠馬が縁側から中を覗き、珍しく枕もとまで近づいた。

はい、と差しだされたものを見れば、深緑の縞模様の長さ四寸（約十二センチ）ほどの瓜だった。熟した証の黄味がかった果実は、甘い芳香を放った。

「鳴子瓜ですね」

乙緒は上体を起こして、両手で受け取った。小ぶりなのにずっしりと重い。

「おばうえに、ちょうだいしました」

父親に連れられて、三番町の従兄たちに会いに行った、とのこと。母親がこんな状態なので、数馬も息子の慰めになれば、と思ったのだろう。

「あちらは皆、息災でおいでしたか？」

母の問いに、悠馬はこっくりと頷いた。幼いなりに、伝えるべきか否か、迷いが生じたのだろう。少し間を置いてから、意を決した体で徐に唇を解いた。

「ちちうえとおばうえは、ながく、ながく、はなして、ちちうえは、おばうえをしかっておられました」

大五郎と庭で遊んでいる時に見た情景を、悠馬が幼いなりに懸命に伝える。数馬が早帆を厳しく叱り、早帆がしきりに詫びている――そんな情景が、ありありと浮かんだ。

おそらく何かの拍子に、御膳奉行と女料理人との経緯を「もう過ぎたこと」として乙緒の耳に入れてしまったことを、早帆が兄に打ち明けたのだろう。

誰しも、そんなことで乙緒が傷つくとも落ち込むとも思っていまい。数馬が妹を叱りつけたとしたら、封をしておいた過去を妻に知られた、その気まずさゆえだ。

悠馬が頰を強張らせて、母親を見ている。自分が伝えたことで、母を困らせたのではないか、と案じているのだ。

大丈夫、と乙緒は唇を引き結ぶ。つわりゆえに心の弱る時はあれど、もう決して取り乱したりはしまい。

悠馬、と乙緒は息子を呼び、

「重光に言うて、これを冷やしてもらいなさい。あとで一緒に頂きましょう」

と、鳴子瓜を息子の腕に戻した。

「いっしょに？」

悠馬は持ち重りのする瓜を腕に抱え、ぱっと顔を輝かせる。飄々とした父親にも、意固地で頑(かたく)なな母親にも似ずに、悠馬は全身で思慕を表してくれていた。あまりの愛おしさに、乙緒は目の奥が熱くなる。

「ははうえ、いっしょに？」

繰り返し問う息子に、乙緒はゆっくりと、深く、首肯(しゅこう)してみせた。

悠馬は満面に笑みを浮かべ、重い瓜を抱いて跳ねるように寝所を去った。


内藤新宿の鳴子界隈(かいわい)で栽培される真桑瓜(まくわうり)のことを、その土地の名を取って「鳴子瓜」と呼ぶ。よく熟れたものを丸ごと水で冷やし、包丁を入れれば、甘い汁が滴る。喉(のど)を潤(うるお)すのに最適な水菓子で、非常によく好まれ、この時季には多く出回った。

夕餉の後に、約束通り、悠馬とともに縁側に座って食したが、乙緒は薄い一切れを呑み込むのがやっとだった。母親が夜中にでも食べてくれれば、と思ったのだろう、悠馬は残ったものに懐紙を載せて枕もとに置いた。

鳴子瓜の切り身は芳しく香り、悠馬の優しさと相俟って、乙緒の気持ちを宥めた。甘い香りに包まれて、うとうとと眠っていたらしい。深夜、気配を覚えて、乙緒ははっと目を見開いた。

蚊帳越しの行灯の明かりが、蚊帳を捲(めく)って入ろうとする誰かを照らしている。

「殿さま」

　正体に気付いて身を起こそうとする乙緒を、そのままで、と男は制した。

「調べ物のために、またすぐ小間に籠る」

　乙緒の夫はその枕もとに座り、調子はどうか、と尋ねた。相変わらず素っ気ない物言いだが、妻の体調を案じているのは確かだった。

「大事ございませぬ」

　静穏に乙緒は答える。うむ、と数馬は頷き、会話は途切れた。

　嘉祥の儀を前に何かと忙しないはずが、数馬はなかなか動こうとしない。

「殿さま、如何なさいましたか？」

　妻の問いかけには応じず、

「良い匂いだな、ああ、これか」

と、数馬はそこに置かれた懐紙を外して、器の中身を改めた。鳴子瓜を一切れ取り上げると、がぶりとかぶりつく。汁が滴り落ちる前に器用に啜り上げ、皮だけを残す。もう一切れ、もう一切れ、と手に取って、とうとう食べ尽くしてしまった。

　懐紙で乱暴に唇を拭うと、皮だけ載った皿を脇へ退ける。勢いをつけるように腿に両手を置き、乙緒の方へ軽く身を傾けた。

「何か、食してみたいものはあるか」

いきなりどうしたのか、と乙緒は夫の顔をじっと見つめた。数馬も妻を見返し、暫くは探り合うように視線を絡めた。

「相変わらず、細い目だ」

ほろりと笑い、数馬は視線をずらした。

ああ、このひとは気まずいのだ。古い恋を知られて、ただただ気まずいのだ。

乙緒は情けないような、哀しいような気持ちになった。

――埋めようもない深い溝が出来たならどうする。そなたひとりが苦しみ、思い詰めたなら何とする
耳もとに里津の声が蘇る。

乙緒は上体を起こすと、布団から出て夫の下座にきちんと座り直した。

「腹の子のためにも、しっかり食べて力を蓄えねばならぬ。何でも良い、食してみたいものはあるか」

重ねて尋ねる夫に、今がまさにその時だ、と乙緒は知った。

「ひとつ、ございまする」

迷いのない妻の返答に、うむ、と数馬は悠然と頷く。

「構わぬ、何でも申してみよ」

乙緒は畳に両の掌をついて、深く頭を下げた。そしてゆっくりと料理の名を告げる。

「岡太夫です」

「何？」

聞き取れなかったのか、夫は怪訝そうに問うた。

「今、何と申した」

「岡太夫、と申し上げました」

岡太夫、と数馬は唸る。

「はて、確かに何処かで聞いた覚えはあるが、思い出せぬ。乙緒、岡太夫とは何か」

「岡太夫は岡太夫でございます」

乙緒は額を畳につけたまま、起伏のない声で続ける。

「姑上(はは)さまより、こうした時には殿さまに、岡太夫を所望するように、と申しつけられてございます」

何、母上が、と数馬は声を低めた。

「こうした時とは、如何なる時のことか」

乙緒は徐に顔を上げて、夫を見た。

「こうした時とは、こうした時です」

それは、数馬に対する精一杯の抗いであった。また、「あれも馬鹿ではない、きっと、きっと考え抜くであろう」との里津の言葉を信じたかった。

「それでは答えになっておらぬ」

苦く笑って、数馬は立ち上がる。

「まあ良い、大事にいたせ」

さらりと言い置いて、夫は蚊帳を捲って寝所を出て行った。

嘉祥の儀に於いて、本来、菓子を任せられるのは御用達の菓子商たちである。

ただ、ここ数年、菓子商任せにするのは如何なものか、と見直しが図られていた。

また、奥医師側からは、公方さまの砂糖の摂取を控えめに、との要望も寄せられている。そのために、数馬も弥三郎も何かと助言を求められる立場となっていた。

「奥方さま、何とぞ御無理をなさいませぬよう」

水無月十日、里津の月忌に、仏間に供物を運んできた重光が、気掛かりそうに声をかけた。線香を折っていた乙緒は、黙したまま頷く。

相変わらずつわりは重く、吐き気もなかなか収まらないが、今日だけはきちんと起きて過ごしたかった。

風を通すために開け放たれた襖から、弥三郎の声が聞こえた気がした。

「弥三郎殿がおいでなのですか？」

乙緒に尋ねられて、はい、と重光は頷いた。

「殿さまと小間に籠っておられます。嘉祥まで、あまり日にちもござらぬこととて」

臥せっている乙緒を気遣って、誰も伝えないが、昨日も一昨日も、弥三郎が数馬のもとを訪れていたことには気付いていた。

「奥方さまがこちらに居られることを、お伝えした方が宜しゅうございますか」

「よい」

用人の問いに、乙緒はきっぱりと頭を振った。

数馬とは、あの夜以降、特に話をしていない。従って「岡太夫」の件もあれきりだった。乙緒にしても、大事な嘉祥を前に、夫を困らせるつもりは、もとよりない。

何かの拍子に「みお」だの「女料理人」だのという言葉が頭を廻るが、心の揺れは少しも面に出さなかった。

夫が岡太夫に辿り着けずとも、失望してはならない。たとえ心が通わずとも、姑から「小野寺家の宝」と評してもらえただけで充分だ――乙緒は自身にそう説いた。

香炉に折った線香を置いて、乙緒は里津の位牌に手を合わせる。祈りの邪魔をせぬよう、重光は足音を忍ばせて部屋を去った。

屋敷の間取りは、仏間と奥座敷とが小間を挟んで配されている。小間は文字通り十畳にも満たない小さな座敷で、時折、数馬が書物など持ち込んで籠るため、専ら隠れ部屋として扱われていた。

「久寿餅ではないのか、数馬」

「そうではない、葛餅とも異なる」

隣室に乙緒が居るとは知らぬまま、義兄弟の会話は続く。砂糖を控えた菓子について、知恵を出し合っているのだろう。

はて、くず餅とは、と乙緒は合掌の手を解いて考え込んだ。

くず餅、くず餅、と繰り返して、ああ、と思い至った。一度だけだが食したことがある。くすんだ白い色、餅のようでありながら、似て非なる物。もっちりしつつも、粘らずに嚙み切れるのが心地よい。あれは確か、久寿の字を当てた。ほかに「くず」となると、吉野葛の葛で「葛餅」だろうか。

いずれにせよ、嘉祥まで六日、実際に菓子を用意するとなればもっと日がない。乙緒は仏壇に向かって再度手を合わせ、夫の役務への加護を願った。

快い風が頬を撫でて、祈りを終えた乙緒は庭へと目を向ける。

短く刈り込んだ槙の枝に、蜘蛛が巣を張り始めていた。長い脚の黒黄の縞模様を認めて、いつぞやの蜘蛛だろうか、と乙緒はその様子をじっと見守った。

大きな枠が張られ、真ん中から四方へ、やがて螺旋へと、美しい糸で編まれた巣は、着々と完成に向かう。

半刻（約一時間）ほども眺めていれば、流石に眩暈がした。少し横になろうか、と乙緒は仏間を出る。小間にはもう人の気配はなかった。

「奥方さま」

衝重を高々と掲げた侍女を後ろに従え、重光が長い廊下を渡ってくる。

何事か、と見守るうちに、用人は奥方の前へ跪いた。

「沢渡昌延様より、お届け物でございまする」

父から、と乙緒は応じて衝重に置かれたものを見た。小さな蒔絵の重箱に漆塗りの銘々皿、それに杉箸と黒文字が添えてあることから、中身は菓子と推察できた。

「何か伝言などはありましたか？」

乙緒の問いに、ございませぬ、と用人は頭を振った。

乙緒が二人目を身ごもったことは知らせてある。もしや、つわりが重いことなども耳に入ったのではないか。

あり得る、と乙緒は内心、大きく頷いた。

娘の身を案じ、口に合えば、と寄越したのだ。喜怒哀楽を顔に出さぬが、決して冷徹な父親ではない。あるいは今日が里津の月忌だと気付いてのことかも知れない。

「姑上さまにも召し上がって頂きましょう」

乙緒は言って、仏間へと取って返した。

侍女より渡された重箱に手を伸ばし、黒塗りの蓋を外す。

ほわっと、豆の甘い香りが立った。

これは、と乙緒は呟き、じっと中身に見入った。大きな四角い餅のようだ。全体に塗されている黄色いものはきな粉。水気を吸ってしっとりとしている。菓子には違いなかろうが、乙緒にはその正体がわからない。

大目付が何を寄越したのか、気になって仕方ないのだろう。重光は首を伸ばして重箱の中を覗き込んだ。

「ああ、それは……」

声を洩らしたものの、出過ぎた真似と悟って、重光は平伏した。

「ご無礼仕りました」

「よい。重光、申してみよ」

これは何か、と問われて、用人はおずおずと面を上げた。

「これは日坂名物の蕨餅かと存じまする」

日坂とは何処か、乙緒には見当がつかない。奥方の疑問を察して、重光は言葉を補った。

「東海道五十三次の、二十五番目の宿場でございます。その昔、殿の御供で掛川まで出かけました際に、某も頂きました」

江戸より五十里（約百九十六キロメートル）以上も離れている、と聞いて、はて、と乙緒は沈思する。

よもや、そこから運んだわけではあるまい。父が命じて料理人に作らせた、ということか。ともかく杉箸で銘々皿に取り分けて、仏前に供えた。

奥方さま、と重光は控えめに、

「せっかくのお心遣いにございますから、お茶とともに奥座敷の方へお持ちします。ひと口なりともお召し上がりくださりませ」

と、進言した。

言われるままに奥座敷へと移り、暫し待てば、重光自らお茶とともに蕨餅を運んできた。

蕨餅という名からして、刻んだ蕨が入っているのだろうか。どれ、と黒文字をあてがえば、むっちりとした手応えがあった。切り口は透明でしっとりとしている。そろそろと口に運べば、まず、きな粉の味、少し塩味がする。次いで、優しい甘さが口一杯に広がった。仄かに苦い蕨の味を思い描いていたので、乙緒には意外だった。

「蕨の味はしないのですね」

奥方の感想に、重光は破顔一笑する。

「用いられているのは葛でございます。あの辺りから掛川にかけては良い葛が取れますゆえ、葛粉で作った葛餅、というのが日坂名物の正体です。昔の歌に『物の名もところによるか　日坂の蕨の餅は　よその葛餅』というものもございます」

面白い、と乙緒は思わず呟く。

乙緒の知る久寿餅とも違う。葛粉を使えば、このように透き通った切り口の、もっちりした菓子になるのか。これが葛餅、しかも、「蕨餅」という名の葛餅か。

葛は昔から滋養になることが知られている。贈り主に感謝しつつ、乙緒は皿の上の葛の菓子をゆっくりと大事に口に運んだ。傍らで重光がごくりと喉を鳴らし、赤面している。乙緒は気付かぬ振りで、食べ進めていく。

美味しいのだが、湿ったきな粉が弱った胃の腑には重くて仕方がない。これ以上は食べられそうもなかった。

重箱の蕨餅は、まだ大分残っているはずだった。

正体が葛粉を用いた菓子だとすると、長く置けば、噛み心地も味も変わってしまうのではなかろうか。父の気持ちはありがたいが、不味くなるのは忍びなかった。

数馬に食してもらいたくとも、城からの戻りが何刻になるかわからない。

「手習いが終わったら、悠馬に出しておやりなさい。その折りには、重光も一緒にお上がりなされ」

乙緒は湯飲み茶碗を手に取った。老いた用人は、嬉しそうに、はっ、と応えた。

縁側から見上げる空に、夏雲が湧き立っている。眩暈がしそうに強い陽射しのもと、庭番の打つ水が、わずかな涼を運んだ。

縁側に座る乙緒を気遣い、少し離れたところで奉公人が蚊遣りを焚いている。乙緒は縁側に移した文机に向かい、父への礼状を認めていた。珍しい菓子に感銘を受けたことなどを綴るものの、その筆が次第に緩慢になる。

そろそろ重いつわりも落ち着く頃かと思ったが、相変わらず気分は優れない。吐き気が減ったことに救われてはいるものの、舌が変わったのか、何を食べても砂を噛むような心地だった。それでもお腹の子のために、と無理にも口に入れて嚙み下す。

美味しい、と思えずに食べるのは、結構苦しいものだ。里津が生きていれば、「何と罰当たりな」と、きっと叱責される。

南部藩鹿角の出で、御境奉行に仕えていたという父親の話を、里津の口から聞いたことがあった。幾度も幾度も飢饉に襲われた経験から、江戸でも箒草の実を口にする時、北の空に向かって手を合わせていた、と。

数馬の祖父の記憶は、母の代で断ち切られ、数馬や早帆には受け継がれていない。乙緒にしても、生まれてからこの方、飢えたことなど一度もなかった。

そう、私は恵まれている。この上なく恵まれている。それなのに、一体、ほかに何を望むというのか。

筆先から墨が落ちて、せっかくの文を汚した。どのみち反故にするならば、と乙緒は紙を墨で塗り潰し始める。

数馬と、ずっと話していない。否、それどころか顔も見ていない。小間で弥三郎と話している声を聞いたきりだ。夜も寝所ではなく、小間で休んでいる。今朝は今朝で、嘉祥の儀を明後日に控えて夜の明けぬうちから出かけてしまった。

嘉祥が済めば、と思いかけて、すぐさま打ち消す。嘉祥が済んだからと言って、事態が変わるわけではなかろう。

手もとの紙は真っ黒に塗り潰されてしまった。胸の奥底まで墨が染み込んだようで、乙緒は軽く息を吸い込んだ。

そう、私は能面なのだ。何を考えているかわからぬ、と思われていれば良い。疑心暗鬼で真っ黒なこの心の奥を誰にも気取(けど)られずに生きていけば良い——そう誓って、乙緒は黙々と、一心に墨を塗り重ねていく。照り返す陽射しも、蚊遣りの臭いも、風の音も、人の声も、何もかもが乙緒から去っていた。

背後の人影に、乙緒は全く気付かない。風呂敷(ふろしき)包みを小脇に抱えたその人物が、乙緒の所作を凝視し、唇を引き結んだことも、知らぬままだった。

隅に控えていた重光が、殿、と呼びかけるのを、振り返って眼差しで制すると、男は足音を立てずに座敷を出て行った。


水無月十五日、山王祭(さんのうまつり)の朝を迎えた。

寝所の縁側から覗く空は、朝焼けのない澄んだ菫(すみれ)色だ。陽が高く昇れば紺碧(こんぺき)に色を変えるだろう。昨日に続いて今日もよく晴れるに違いない。乙緒自身は祭見物の経験を持たないが、無事に、滞りなく、と祈る。

山王権現社は将軍家代々の産土神であり、祭礼費も幕府が負担したことから、御用祭と称される。また、公方さまの上覧拝礼により天下祭とも呼ばれていた。神田祭と交互に営まれる祭だが、公方さまの産土神、という関わりから、山車行列も華麗にして勇壮、大名家なども力の入れようが違った。

ただし、武家は建前として十四日の夜より今晩まで外出を禁じられている。嘉祥を明日に控えることもあり、小野寺家の当主は終日、屋敷に留まることになっていた。

それにしても、と乙緒は周囲を見回し、耳を澄ませる。

とうに夜は明けたというのに、屋敷内が静まり返り、誰の姿も見えない。

匂いに鋭くなった鼻が、白飯の炊き上がるのを嗅ぎ取った。平素ならば奉公人たちが掃除に取り掛かり、侍女たちが朝の挨拶に現れるはずが、一切ない。どうしたというのだ、と不審を抱き始めた時だった。

庭を突っ切って、数馬がこちらへ向かってくる。両の手に七輪を抱えていた。

殿さま、と乙緒が立ち上がろうとするのを、「そのまま」と制する。

運んできたものを地面に下ろすと、

「色々とこちらへ運んでくるが、何も手出しをせずに待つように」

と、命じた。

鍋、水、木べら、漉し器、匙等々、誰かに手伝わせれば良いのに、数馬一人で縁側へと運ぶ。最後に持ってきたのは、台十能と呼ばれる鉄製の鍋で、中には炭火が熾っていた。真っ赤に焼けた炭を、数馬は火箸で一つ一つ七輪へと移す。

「一体、何事でございますか」

「まあ、見ていることだ」

妻の問いに応じて、数馬は額に浮いた汗を手拭いで念入りに拭った。

縁側に置かれた折敷の布巾を取れば、木製のくり抜き鉢が二つ。一つには灰色の粉、もう一つに砂糖と思しき粉が入っている。その灰色の粉に目を止めて、乙緒はあっと息を呑んだ。

六年前、姑が大事そうに取り出した粉に似ていた。まさか、まさか、と思いつつ、乙緒は夫を見た。

数馬はにやりと笑いはしたが、何も言葉を発しない。二種の粉を合わせたところに、少しずつ水を加えて丁寧に溶かしたあと、漉し器で漉して、鍋を火にかける。

中腰で火を操る数馬の姿を見かねて、乙緒は表の間の方へ「誰かおりませぬのか」と声を放った。

「誰も来ぬぞ」

妻の声に被せて、数馬がきっぱりと告げる。

「良いというまで控えておれ、と皆に命じてある」

悠馬にもだ、とほろりと笑って言い添えた。

覚えのある微かな匂いが、鼻をくすぐる。木べらで練り上げられて、鍋の中のものは黒光りしつつ、ねっとりと粘った。

ああ、やはり、と乙緒は頷く。

岡太夫、間違いない、岡太夫だ。

女房が料理の正体に気付いたことを察して、数馬は僅かに唇を綻ばせた。

火から外して、鍋の中身を匙で掬いながら冷たい水に落としていく。水が温めば、冷たいものと取り換える。この上なく優しく、繊細な手つきだった。

「型ごと冷やして切り分けても良いが、刃物を使いたくないのでな」

数馬は掬い上げた岡太夫の水気を軽く拭って器に移すと、菓子楊枝を添えた。

勧められるまま、乙緒は器を手に取り楊枝を摘まみ上げる。竹製の楊枝は予め水に浸けてあったのだろう、しっとりと冷たい触り心地だった。

まずは一つ、口に入れて、目を閉じる。もちもちとした噛み応えは、先達て父より贈られた蕨餅に似ているが、作り立てのせいか、より柔らかい。嚙み下せば、濃厚で力強い味わいが心身に染み渡るようだった。

殿さま、と乙緒は双眸を見開いた。

「美味しゅうございます」

うむ、と数馬は頷き、自身も一つ、楊枝に刺して口に運ぶ。ふっと息が洩れ、

「我ながら良い出来だ」

と、相好を崩す。

一つ、もう一つ、と楊枝を伸ばす数馬に釣られて、乙緒も続けて岡太夫を口に運んだ。つわりになって以来、こんなにも何かを美味しいと思ったことはなかった。

ふいに瞳（ひとみ）が潤みそうになって、目が細いのを幸い、ぐっと堪（こら）える。

「きな粉と黒蜜（くろみつ）も用意しておいた。好みでつけるなり、かけるなりするが良い」

数馬は言って、匙で小皿にきな粉を装う。

殿さま、と乙緒は器を置いて、数馬を見た。

「ひとつ伺っても宜しゅうございまするか」

「何でも聞くが良い」

艶（つや）やかな菓子にたっぷりときな粉をつけて、数馬は鷹揚に応える。

「岡太夫のもとになった灰色の粉の正体は、何なのでしょう」

「何」

乙緒の問いを受けた途端、きな粉が胸に痞えたのか、数馬は拳で胸をとんとん叩いて、苦しんだ。

「そなた、それを知らずに岡太夫を所望したのか」

夫に聞かれて、妻は「はい」と頷いた。

何ということか、と数馬は唸った。ばつの悪さを微塵も見せずに、乙緒は背筋を伸ばして耐える。

くっく、と数馬の喉が鳴った。くくくっ、と続けて鳴ったかと思うと、数馬は天を仰いで呵々大笑した。

「これは参った、見事に参った」

膝を打ち鳴らして、数馬は笑い続ける。そのような朗笑が妻に向けられたのは、初めてだった。

「そなたは、母上から岡太夫の正体を聞かされてはいなかったのだな」

夫から念を押されて、はい、と乙緒は頷いた。里津とともにこの味わいの菓子を食した際、「岡太夫」という名を教わっただけだ。

「あまりに不思議な名なので、菓子を考えた人の名か、とお尋ねしたところ、大層お笑いになられました」

妻の答えに、さもありなん、と数馬はほろ苦く笑んだ。

「岡太夫というのは、蕨餅のことだ。その昔、醍醐天皇が好まれて、その名を授けた、と伝えられておる」

すっかり失念していて思い出すのに難儀をした、と夫はぼそりと言い添えた。

蕨餅、と繰り返す乙緒の眉間に、知らず知らず皺が刻まれる。父から贈られた菓子が、重光との遣り取りが、頭の中をぐるぐると廻った。

片や黒光りする菓子、片や透き通った菓子、まるで別物だった。

「蕨餅というのは、葛餅のことではありませぬのか。日坂名物のそれは『蕨餅』という名の葛餅だと聞いております」

ふっ、と数馬の鼻が甘く鳴った。

「さよう、その辺りはまことに厄介だ。ただ、日坂名物の蕨餅も、室町の昔は葛餅ではなく、これと同じ蕨餅だったのだ。それが何時しか葛を用いるようになり、名前だけがそのまま残った——とまぁ、そんなところだろう」

夫の台詞に、乙緒の頭は混乱する。それを察した数馬がまた笑う。

「しかし、不思議なことよ。そもそも、母上は何処で蕨餅を手に入れられたのか」

　何処ぞの菓子商に頼んだのであろうか、と重ねて問われ、そうではございませぬ、と乙緒は頭を振った。

「道具を座敷へ運ばせて、あとは姑上(はは)さまがご自身でお作りになられました」

「何と、母上が手ずから……」

　数馬の顔から笑いがすっと引き、唇が真一文字に結ばれた。

　死を前にした里津が誰の手も借りず、嫁のために岡太夫を手作りした、という事実は何より重い。数馬は母の想いを正しく汲(く)もうと熟考している様子だった。

　陽射しが生まれて、縁側を照らし始めた。ででぽっぽー、ででぽっぽー、と雉鳩(きじばと)が長閑(のど)やかに鳴いて、緊迫した縁側の雰囲気を和らげている。

　ひとつ大きく息を吐いて、数馬は真(ま)っ直(す)ぐに妻を見る。

「灰色の粉、あれは、蕨粉だ」

　蕨粉、と繰り返し、乙緒も夫を見返す。

「蕨の粉、ということでしょうか」

「さよう。蕨の根を洗い、叩き潰して水に浸け、よくよく揉(も)んで幾度も漉し、気が遠くなるほど手をかけ、乾かしてあの灰色の粉にする。葛粉にも似通う作り方だが、何せ取れる量が少ないのだ」

里津の父の郷里、鹿角では蕨粉は飢饉食だった。秋に実りが得られず、口に入るものは全て食べたあと、冬を迎え、いよいよ何もなくなった時に蕨の根を掘り出し、死ぬる思いで作る、いわば命の粉だという。

「長く置いても傷まぬし、粘りが強いので、この江戸では極上の糊（のり）として用いられる。鹿角では思いも寄らぬだろうが」

いずれにせよ、壮絶な手間暇がかかるため、殆ど作り手が居ない、と聞いて、乙緒は器に残った岡太夫に目を向ける。

——時折り、無性に父が恋しくなると、密かに作ってひとりで食していたのです

夫にも子にも食べさせたことはない、と笑っていた里津の言葉を思い返す。

父親の思い出に繋がる大事な蕨粉が、江戸では糊として扱われている。里津が家族に供さず、隠れて食べたのも無理はなかった。

それに、と乙緒は唇を固く引き結ぶ。

てっきり嘉祥の儀のためと思い込んでいたが、夫は蕨粉を入手するために東奔西走していたのだ。何も知らず、夫の昔の恋に囚（とら）われ、その気持ちを邪推し、悶々（もんもん）としていた。あまりの情けなさに、自身を恥じるばかりだ。

「『こうした時』とは、どうした時なのか、ずっと考えておった」

数馬は身体をずらし、縁側に腰掛けるように座り直した。視線は夏天（かてん）へと向けられる。まだ、雲の生まれる前の、優しい空だ。

「お前と俺は似ている。実に似ている」

何を考え、どんな感情を抱こうと、周囲にはそれと悟られぬよう振る舞う。他人に誤解されたとて一向に意に介さず、言葉を尽くして理解されようと思わない。似た者同士だから乙緒もそうなのだ、と決めてかかっていた。

「よもや、それがために、お前を追い詰めてしまうとは考えもしなかった。母上がお前に岡太夫を所望させたのは、それに気付くように、という合図だったのだろう」

地中に埋もれた根を掘り出し、手をかけて食べ物に変えるように、連れ合いの気持ちを掘り起こし、互いの関わりをより良きものに変える努力をせよ。母はそう伝えたかったのではないか、と数馬は言う。

――これが私の残す形見じゃ
数馬の言葉に、里津の声が重なって乙緒の心に届いた。

姑上（はは）さま、姑上さま、と乙緒は心の中で繰り返し、里津を呼んでいた。

数馬は乙緒を見、ここへ、と招くように視線を転じて自分の傍らを示した。乙緒は立ち上がり、少し離れて夫の隣りへ座り直す。

「さあ、もっと食べよ」

数馬は手を伸ばして、乙緒の器に蕨餅を足した。己の分にも山盛りに装い、今度は黒蜜を回しかける。甘いものをあまり好まぬ数馬にしては、珍しいことだった。

「うむ、旨いな」

その目尻に、ぎゅっと皺が寄っている。

手を伸ばして皺に触れたい想いを封じ、乙緒は夫を真似て、黒蜜をつけたものを口にした。思いのほか控えめな甘さに、蜜もまた、夫の手作りと知る。

涼やかな風が、老い梅の青葉を揺らして縁側に届いた。爽風を受け、夫婦は揃って器を置く。

良い風だ、と数馬は目を細めた。

「夏に涼風あり、だな」

春に百花有り
秋に月有り
夏に涼風有り
冬に雪有り

夫の台詞に禅師の言葉を重ねて、乙緒はこれからの四季の廻りに思いを馳せる。甘やかな言葉を交わすことの苦手な二人だが、深く隠された互いの心を見極め、慈しみ、春夏秋冬、ともに生きていきたい、と心から願う。

「乙緒よ」

珍しく妻の名を呼んで、その皿にまた蕨餅を足した。そして、仄かに笑んだあと、数馬はきっぱりと言明する。

「四十男が早々に生き方を変えられるわけもない。これからもまた、似たような思いをさせるかも知れんが、悪く思うな」

夫の言葉に、乙緒は心からの笑みを湛(たた)え、

「その時はまた『岡太夫』を所望いたしまする」

とだけ、応えた。

秋燕(しゅうえん)
——明日の唐汁(からじる)

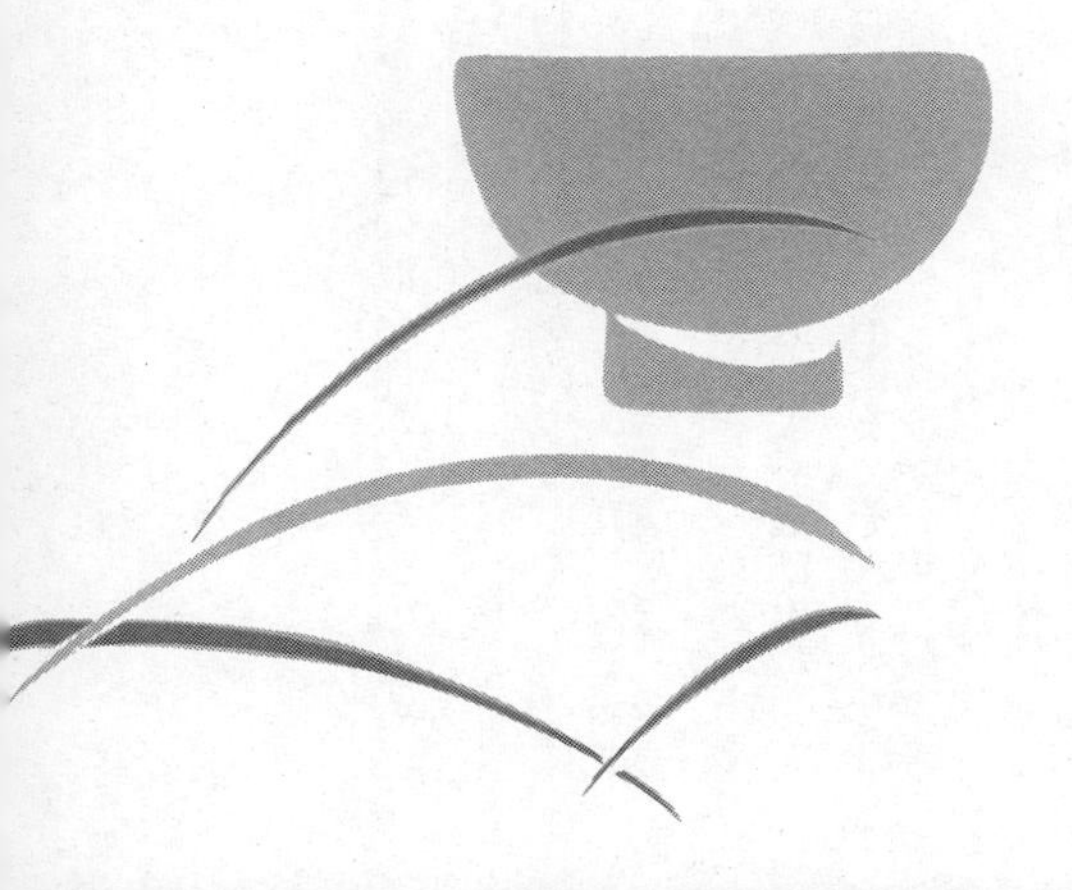

大川沿いの土手の薄の群生を、風が満遍なく撫でて銀色の波を作る。今夜のために薄を刈る者たちが、若穂の波に見え隠れしていた。

大きな弧を描いて川に架かる天神橋を、鳥籠を胸に抱いた女が渡っていく。年の頃、二十七、八。身に纏うのは濃淡の縹色の縞紬、髪に挿された櫛、簪、笄は揃いの斑入りの鼈甲で、目立たぬ装いながらも品があった。

橋の中ほどに達すると、女は籠の戸口を開ける。一羽の燕が勢いよく飛び出し、大空へ向けて羽ばたいた。小鳥は瞬く間に秋天へと吸い込まれて消える。それでも女はじっと瞳を凝らして空を見上げていた。

「ええご供養になりますなぁ」

通りすがりの老女が声をかける。その手に、縄をかけた亀が提げられていた。

「私もこれからだす」

老女は亀を示すと、歯の抜けた口もとを緩める。ほな、と立ち去る老女を、女は丁寧な一礼で見送った。

傍(かたわ)らを「放生会(ほうじょうえ)ぇ、放生会ぇ」と売り声を上げて男が通り過ぎていく。両の天秤棒(てんびんぼう)の前後には水を張った桶(おけ)、中で泳ぐのは鰻(うなぎ)だ。

今日、葉月(はづき)十五日は、放生会。日頃の殺生を戒(いまし)めるため、飼っている生き物、あるいは買い求めた鳥や魚を生きたまま放す。それは同時に今は亡き人の冥福(めいふく)を祈る儀式でもあった。大坂では、御津八幡宮(みつはちまんぐう)の祭礼が有名だが、思い思いに放生する者も多い。

女は再び視線を天へ廻(めぐ)らせる。青色の岩絵の具を溶いたかの空に、やはり放生会で放たれたのだろうか、鳩(はと)がばたばたと羽音を立てて飛んでいる。

又次(またじ)

女はそっと故人(かんにん)の名を呼んだ。両親でも兄や姉たちでもない、血縁のない男の名を。

又次、又次、堪忍な

堪忍してな、と野江(のえ)は静かに頭(こうべ)を垂れ、そっと両の手を合わせた。

水都大坂にはその名に相応(ふさわ)しく多くの橋が架けられているが、殆(ほとん)どは町人らが懐(ふところ)を痛めたもので、公儀橋と呼ばれるものは僅(わず)か十二しかない。その中でことに風格があり美しいのが、東横堀川(ひがしよこぼりがわ)に架かる高麗橋(こうらいばし)だった。橋から西へ伸びる道は、高麗橋通り。高麗橋西詰には高札場があり、全(すべ)ての道がここに通じることから、距離を測る起点にもなっている。自然、ひとの往来も多く、呉服商や両替商など屈指の大店が建ち並んで、大坂で最も豊かな場所と言えた。

珍しい唐高麗物を扱う店、「高麗橋淡路屋」はその一角に在った。

丁度二十年前の享和の大水でこの辺りも水に沈み、様相は随分と変わった。当時在った淡路屋は店主一家も奉公人も全員が亡くなった、と伝えられていたし、実際、同じ場所には新参者の呉服商が新たに暖簾を掲げていた。ところが四年前にそこが何者かに買い上げられ、翌年には、昔と同じ「高麗橋淡路屋」の暖簾が掲げられたのだ。往時に比して、扱う品の種類が変わり、奉公人の数も減ってはいたが、お客の入りも良いようで、堅実な商いを続けている様子だ。

淡路屋を再建したのは誰か。

今の店主は誰で、何処に居るのか。

噂好きの難波雀たちが、淡路屋に関して、まず知りたがったのはその二点だった。

全員死亡したはずが、末娘ひとりが生き残っていたこと、その末娘が淡路屋を再建したらしい、という風聞は、雀たちを熱狂させるに充分だった。「何処でどうやって生きてきたか」「再建のための金銀をどのようにして賄ったのか」等々、この三年の間に様々な憶測が飛び交ったものの、いずれも決め手を欠き、曖昧なままだった。結局、淡路屋の奉公人らの主筋への忠義と口の固さとが、世に知れ渡るばかりだった。

「お帰りやす」

空の籠を抱えた野江の姿を認めて、淡路屋の表を掃いていた丁稚が慌てて箒を置いて駆け寄った。野江の手から籠を受け取ると、お戻りだす、と格子越しに声を張る。

店の方から通り庭へと飛び出して、自ら格子戸を開き、野江を迎え入れたのは、辰蔵であった。番頭ゆえ、店では「辰助」の名で呼ばれる。ひょろりと細長い体軀を隠すように、ゆったりとした半纏を着込んでいる。

「こいさん、お帰りやす」

供も連れずに出かけた野江の身を案じていたのだろう、安堵の色を滲ませた。辰蔵は先代番頭の龍助こと龍蔵の一子で、年々、面差しが父親に似てくる、と野江は密かに思う。

ほかの奉公人や女衆らも「お帰りやす」と口々に言いながら、姿を見せた。ただ今、と皆に応じてから、野江は辰蔵を見上げる。

「燕、機嫌ように飛んでいきましたで」

野江の言葉を受けて、辰蔵は「宜しおました」と、目もとを緩ませた。

十日ほど前、鴉に襲われたのか、かなり弱った燕が淡路屋の前栽で見つかった。籠に移して、虫などを与えて暫く様子を見たところで、放生会を迎えたのだ。

「今日は御津八幡さんも坐摩さんもえらい人出でおますやろ。早うにお戻り頂いて、ほっとしました」

辰蔵が言い終えるや否や、手代が店との仕切りから顔を覗かせて、番頭さん、と控えめに呼んだ。お客が立て込んでいるらしく、店の方は随分と賑やかだ。

「こいさん、ほな、失礼いたします」

野江に会釈すると、番頭は店へと急いだ。

大坂の商家では、店主の妻を「ご寮さん」、母を「お家さん」、娘を「嬢さん」と呼ぶ。「こいさん」というのは末娘を指した。淡路屋の三人姉妹の末娘だった野江は確かに「こいさん」に違いない。二十八歳の身、もう「こいさん」と呼ばれる齢でもないのだけれど、と野江は微苦笑した。

土間伝いに店を覗けば、客に眼鏡を勧める手代たちの姿が映る。棚にずらりと並ぶのは、真鍮や鉄、銀、鼈甲など多彩な眼鏡の枠で、隅の方に硝子や義山の器が少しばかり置いてある。その昔に扱っていた香木や書画、道具の類は姿を消していた。

野江が生まれ育った淡路屋の建物は跡形もない。商う品も随分と変わった。それなのに、「こいさん」と呼ばれると、八つの昔に戻るようだった。

八歳で騙されて吉原廓へ売り飛ばされた。四年前にこの地に戻るまでの、失われてしまった、長い長い時を思う。

「何と果報なことやろか」

店に居たお客のひとりが野江に目を留めて、晴れやかな声を発した。

「『天下取り』の吉相にお目にかかれるとは」

刹那、店の中がしんと静かになり、他のお客らの視線が野江に集まった。

辰蔵が慌ててこちらへ来るのを認めて、小さく右手を上げて止め、野江は爽やかに笑みを作った。

「ご贔屓を頂戴しまして、おおきにありがとうさんでございます。お眼に合うようお誂えしますよって、どうぞごゆるりと」

おおきに、と丁重にお辞儀をして、野江は通り庭へと戻った。背後で「ほんに果報や」「眼福だすなぁ」とのお客同士の会話が聞こえていた。

野江がその昔、新町廓で「旭日昇天」の易を受けたことを明確に覚えている者は、流石に現れない。ただ、「摂津國名所図会」という古い書物の中に、以前の淡路屋の様子と、その末娘が水原東西により「天下取り」の易を受けた旨の記載があり、それが今以て語り継がれているのだ。

店の消失から再建までの十七年、淡路屋のこいさんが何処でどうしていたのか、誰も知らない。そのため、京島原に沈んでいたとか、豪商の妾だったとか、心ない噂がばらまかれているのも、耳に届いてはいた。

まだ野江を吉原「翁屋」のあさひ太夫と結び付けて考える者は居ないが、何かの拍子に過去を知られかねないし、人の口に戸は立てられない。吉原を出た時から腹は据えているが、叶うならば静かに生きていたい。

「こいさん」

野江の思考を、女衆が破った。

「今夜は小芋を茹でて、お団子をご用意させて頂いて宜しおますか」

「せやった、今夜はお月見だしたな」

へぇ、とお松は頷いた。

「ほかに、雪花菜がおますが、こいさんはあまりお汁に入れるんはお好きではないですし、炒り煮にさせてもらいまひょか」

お松の提案に、野江は、ほな、そないして、と穏やかに応じた。

「こちらが今日、ご注文頂いた分でおます」

　店を閉めてから、辰蔵が帳面を持って奥座敷に報告に来た。忠義の番頭は毎夜、必ず野江にこと細かくその日の商いについて話すのを習いとしていた。

「大半のお客さんが、舶来の品やのうて、職人手作りの眼鏡を望まはります。それと、こめかみで押さえる眼鏡は、女子のお客さんに評判が宜しおます」

　辰蔵の指摘に、野江は、ああ、それは、と帳面を受け取りながら応える。

「女子の髪型では鬢が邪魔になるさかい、眼鏡の紐が耳にかかりにくいんだす。それに、丁度、頭痛のつぼを圧されて、気持ちも宜しいのやろ」

　これから数を増やしたらどやろか、と野江は帳面の数字を目で追って、辰蔵に提案した。

　人は年齢を重ねると、近くの物を見辛くなる。吉原では小金を持った年寄りの客も多く、背負いの眼鏡売りが重宝されていた。箱に幾つもの眼鏡を入れて遊里を流し、呼ばれると客の眼に合う眼鏡を見繕って売るのだ。古手もあれば新しい品もあり、舶来もあれば玉磨き職人らの手仕事によるものもある。決して安くはない眼鏡だが、それでも、遊里では随分と喜ばれていた。

　再建した淡路屋の商いを確かなものにするべく、野江が考え付いた品が眼鏡だった。

出来合いの品から見繕うのではなく、枠から硝子からその人に応じて誂えてはどうか。格段に値が張ることになるが、生きていく上で「手もとがよく見える」というのは極めて大切で、そのためになら金銀を惜しまない人は確実にいる。昔ながらの商いの品では義山だけを残して、眼鏡を軸にしたらどうか、と野江は考えたのだ。

遠い昔は舶来の品に頼るばかりだった眼鏡も、次第にその技を持つ職人が現れて、親しみ易くなった。眼鏡を売る「びいどろ屋」もある。硝子が瞼やまつ毛に当たらない工夫や、耳が痛くならない紐など、これからまだまだ新しい品が生まれていくに違いない。商いとして面白いことになるのではないか、と野江は見ていた。

「お陰さまで、去年の売り上げを今月のうちに追い越せそうだす」

野江から戻された帳面を手もとに引き寄せて、辰蔵がつくづくと洩らした。

「『眼鏡は必ず売れる』て、こいさんが睨まはった通りだした」

「せやない、せやないんよ、辰助どん」

野江は頭を振って、きっぱりと応える。

「知恵を出すより、それを形にする方が遥かに苦労だす。辰助どんが居ってくれたさかい、淡路屋はこないして暖簾を保ててますのや」

野江の労いに、番頭は「勿体ないことでございます」と畳に手をついた。

東南の空高く上った秋月が、ひときわ明るい。行灯の明かりも霞むほど、奥座敷を月光が清浄に照らしていた。

「ええ月だすなぁ」

野江の声に、辰蔵は顔を上げ、眩しそうに隣家との境に浮かぶ月を見やった。

ほんまだすなぁ、と番頭は月を仰いで、さり気なく続けた。

「そない言うたら、摂津屋の旦那さん、八朔に江戸を発たはったさかい、そろそろ大坂入りなさいますなぁ」

へぇ、と野江も月から目を離さずに応じる。

「今頃は、伏見あたりでお月見してはるんと違いますやろか」

摂津屋助五郎はこれまで幾度も、はるばる江戸から大坂へ足を運んでいたが、今回の来訪は淡路屋にとって格別の意味を持つ。それを辰蔵も承知しているのだろう、会話はそこで途絶え、主従はただ十五夜の月を眺めるばかりだ。

その摂津屋から野江に呼び出しがかかったのは、二日後の早朝のことであった。遣いから手渡された文に目を通すと、野江は女衆に命じて、身仕度を整える。古代紫の単衣に枯色の帯を巻くのを手伝っていたお松が「勿体ない」と小声で洩らした。

「勿体ない？　お松どん、何が勿体ないんだす？」

切れ長の目を向けられて、お松は身を竦め、堪忍しとくれやす、と頭を下げた。

「こいさんほどお綺麗なかたは滅多と居てはらへん。せやのに、いっつも控えめな色目のお召し物ばかりだすやろ？　簪かて、地味な物しか髪に挿しはらへん。せやさかい、つい……」

言下に、もっと華やかで豪奢な装いがきっと似合うだろうに、との気持ちが透けていた。野江は僅かに口もとを綻ばせる。

友禅染の小袖、金襴の帯、練貫地に金摺箔の下着、唐織の打掛には金糸銀糸の刺繍、等々。贅を尽くした装いなら、翁屋で嫌というほどしてきた。

「こぉと（質素で上品）な方が私の好みだす」

仕上げに銀の平打ちの簪を後ろに挿して、ほな、出かけますで、と野江はお松に言った。

「こいさん、私もご一緒させて頂いた方が宜しいのと違いますやろか」

表格子まで見送りに出た辰蔵が、思案気に申し出る。

「お前はんにも同席してほしいのなら、文にそない書いてあるはずだす。今日のところは、私ひとりでお目にかかって来ますよって」

明瞭に告げて、お松どん、行きますで、と野江はお供を促した。

東西を走る高麗橋通り、南へ下れば道修町、早野町、そして北鍋屋町に至る。小商いの店が並ぶ通りのそこかしこに、朝餉の茶粥の香りが名残を留めていた。

前方の長屋建ての一番端に「みをつくし」と書かれた吊り看板が見えた時、野江はお松を呼んで、

「もうここらで構へんよって、店へお帰り。用が済んだら一人で戻るよって、迎えは要りまへん」

と、持たせていた風呂敷包みを取り上げた。

間口二間（約三・六メートル）ほどの店の入口には、まだ暖簾は出されておらず、戸も固く閉ざされている。店主が江戸の出だからか、店の作りが大坂商家のそれとは少し違っているが、野江は迷うことなく路地へと進んだ。

「ごめんやす」

勝手口を開けて声をかければ、かたかたと下駄の鳴る音が奥から響いてきた。

「野江ちゃん」

藍染木綿の着物にきりりと襷をかけた女が、満面に笑みを浮かべて現れた。朱塗り

の脚付きの膳を手にしている。

「澪ちゃん、店開け前に堪忍な」

これを、と野江は風呂敷包みを示して、傍らの調理台に置いた。

「土佐の鰹節が手に入ったさかい。大坂ではあまり出番がないと思うけんど、使うて頂戴」

「嬉しい。おおきに、野江ちゃん」

早速使わせてもらいます、と澪は声を弾ませる。

お互い二十八にもなるのに、幼馴染の二人は、未だに「ちゃん」付けで呼び合う。滑稽に思う者も居るだろうが、ともに格別な思いがあった。

野江同様に、澪も享和の大水で天涯孤独となり、江戸で料理人として生きていた。郷里から遠く離れた江戸で、巡り合って互いが名前を呼び合えるようになるまで、実に六年もかかったのだ。

「ええ匂いだすなぁ」

風呂敷に包んでいても鰹節は薫り高く、膳を持ったまま、澪はすんすんと鼻を鳴らしている。

四年前、ともに郷里に戻ったが、澪は医師の源斉と所帯を持ち、道修町に診療所を兼ねた家で暮らしている。江戸に居た頃、澪のくに訛りは消えていたが、今では、夫と話す時以外、すっかり大坂の言葉遣いに戻っていた。それが野江には何やら微笑ましい。

「摂津屋の旦那さんは？」

声を低めた友からの問いかけに、お二階だす、と澪は答える。

「少し横にならはって、今しがた、遅めの朝餉を召し上がらはったとこ」

ほら、と澪は膳の上の空の器を示した。飯碗も汁椀も平皿も小鉢も、綺麗に空になっている。野江の頬は自然に緩んだ。

「ここはすっかり摂津屋の旦那さんの『お休み処』のようだすなぁ」

御用商人の札差、江戸で屈指の豪商の摂津屋が大坂入りする際は、奉公人が必ず二人は同行した。東海道を上って京へ入り、夜に伏見を船で発つ。夜明け前に八軒家へ着くと、そのまま船場の摂津屋大坂店で荷を解く。そのあと、摂津屋はただ一人でみをつくしに来店し、二階座敷の一室でゆるりと過ごすのを好んだ。

「私は仕込みに入ってしまうよって、野江ちゃん、悪いけど、摂津屋さんにお茶を運んでくれはる？」

今、美味しいのを淹れますよって、と友は優しく言った。

湯飲み茶碗を載せたお盆を手に、階段をとんとんと音を立てて上がる。そんな何でもない仕草が、野江には未だにとても嬉しい。翁屋であさひ太夫として過ごした歳月を、こうした所作が少しずつ拭ってくれるようだった。

襖の前で膝をつき、「ごめんやす」と声を掛ければ、「お入り」と返ってきた。

襖を開けて、中を見れば、黒羽二重の羽織を肩にかけ、摂津屋助五郎が穏やかに笑っていた。

「久しいのう、野江」

古稀を控えているはずが、肌艶もよく壮健そうに見える。

良かった、お健やかなのだ、と野江はまず安堵する。

禿から新造になる際、摂津屋を含む三人の御用商人がそれぞれ四千両を翁屋へ預けて、野江の年季明けまでを買い上げてくれた。騙されて吉原へ売られてきた女は少なくはないが、野江のように豪商に守られて苦界で生き延びた例をほかに知らない。

ことに助五郎は、客と遊女という関わりでありながら、四つで亡くなった娘と野江とが重なって見えると言って、早々に枕を交わさなくなった。そのせいか、野江も摂津屋のことを、旦那というよりも、父親のように慕っていたのだ。

「ご無沙汰いたしております」

入室すると、野江は丁重に額ずいた。

顔を上げるよう命じて、摂津屋は、

「半年ぶりだが、元気そうで何よりだ」

と、温かに頷いた。

野江の差しだしたお茶を美味そうに啜って、日々の暮らしぶりのことなど、当たり障りのない会話を交わしたところで、さて、と年寄りは湯飲み茶碗を置いた。

「私がこの度、何の話をしに出向いたのか、わかっているね」

穏やかな表情から一転、助五郎は鋭い眼光を野江に向ける。

野江もまた、摂津屋から目を逸らすことなく応える。

「淡路屋の再建から今年で三年になります」

「そうだ、三年だ」

野江の返事に、摂津屋は首肯してみせた。

大坂には「女名前禁止」という掟があって、女は家持ちにも店主にもなれない。このみをつくしにしても、表向きの店主は澪の夫で医師の源斉ということになっている。

しかし、例えば、店主が急逝して残されたのが女房と娘だけ、というような場合、この「女名前禁止」を押し通せば、不条理な事態に陥ってしまう。そのため、慣習として三年の猶予が与えられることになっていた。

水害で流されて消失した店を、娘が再興する。これはまことに美談であるから、同様に三年の猶予を認めるべきではないか――三年前、淡路屋を再建するに際し、摂津屋はこう主張して、町会を始め各所に手を打ち、特例を認めさせていたのだ。

「今年のうちに、店主を立てねばならない。淡路屋を委ねられる男を探すとなると、そう時があるわけではないのだよ」

そろそろ腹を決めることだ、と摂津屋は厳かに告げた。

返事に窮する野江を救うように、階下から、南瓜を煮付けているらしい柔らかな匂いが流れてくる。すっと鼻から深く息を吸い、野江は気持ちを整えた。

番頭の辰蔵を婿に迎えて、淡路屋の店主に据える。

摂津屋の言わんとするのは、つまり、そういうことだった。黙り込む野江を眺めて、摂津屋は徐に傍らの煙管を手に取った。

「辰蔵さんは前の番頭の龍蔵さんの息子で、淡路屋との縁も深い。正直者で誠実で、商い熱心だ。申し分ない、と私は思うのだがねぇ」

引導を渡すでもなく、独り言のように洩らして、旨そうに刻み煙草を吸う。

上の建物ごと土地を買い戻し、およそ一年をかけて淡路屋再興に尽力してくれたひと。辰蔵を除いて、奉公人は全て摂津屋大坂店から移された者たちだった。助五郎は支援の理由を、「淡路屋の先代への恩返し」としており、誰もがそう信じていた。淡路屋にとっても、野江自身にとっても、助五郎は恩人で、逆らえる道理もない。まして、吉原の大門で出迎えられて以来、辰蔵の温かな人柄に救われ、支えられてきた身。首を縦に振りさえすれば全て丸く収まるのに、野江にはそれが出来ない。

沈黙を通す娘を暫く眺めて、摂津屋は煙とともに長々と息を吐いた。

「よもや、と思うが」

年寄りは膝行して、娘の顔を覗き込む。

「又次に操を立てているのか」

その意味するところを測りかねて、野江は瞬きもせずに、助五郎を凝視する。

「操を立てる、という言い方は正しくはないだろうが、どうしても、ほかに言葉が見つからないのだよ」

娘から視線を外すと、摂津屋は続けた。

「同じ翁屋の、片や花魁、片や料理番。二人の出会いもその後の経緯も、私なりに知ってはいるつもりだ。だが、男女の情という枠から外れたお前さんたちのことが、私にはやはり解せない。情を交わしてもいない女のために、自身の命さえ投げ捨てられ

ると は」

言葉途中で、助五郎は遠くを見るような表情になった。その脳裡には、おそらく、野江を庇って絶命した又次の姿が浮かんでいるのだろう。瀕死の重傷を負い、燃え盛る焔の幕を潜り抜けて現れた又次の姿が。

野江もまた、又次の最期を思い、疼痛に耐える。

あさひ太夫の身請け銭、四千両。それを捻出するための知恵を貸した人、実現した人、協力した人々。「生家が娘を身請けする話」をひとつの演目として作り上げ、黒子となって尽力してくれた人たち。

皆の気持ちを動かし、太夫身請けに向けて強く背中を押したのが、又次の死だった。言わば、又次が自身の命と引き換えにして、あさひ太夫から野江へと生き直す道筋をつけてくれたのだ。

野江の双眸に涙が浮かび、溢れそうになるのをぎりぎり下瞼がせき止めている。それに気付いて、摂津屋は煙管を手から離した。

旦那さん、と野江は掠れた声で相手を呼ぶ。

「私はこれまでに二度、記憶を失うたことがおます」

一度目は享和の大水で被災した時。自分が何処の誰かもわからなくなり、女衒の卯吉の偽り話を信じ込んでしまい、過去を正しく思い出せるようになるまでに長い歳月を要した。

そして、前回の吉原の大火。摂津屋を先に逃がしたところで気を失った。正気を戻した時には今戸の寮で寝かされており、その間の記憶が抜け落ちていたのだ。

「又次が私を背中に負うて、猛火の中を逃げた――そう聞きました。けれど、今になって切れ切れに思い出したことがおますのや」

水に濡らした着物で身体を包まれたこと。胸深くに掻き抱かれ、降り注ぐ火の粉から守られたこと。燃えながら落下してくる太い梁、そして又次の絶叫。

「背中に負うていてくれたら、命を落としたのは私で、又次は助かったかも知れへんのだす。それに、今わの際のあの言葉、あれは、澪ちゃんに私の身請」

「止しなさい」

野江の話を、摂津屋は強い口調で遮った。

「ひとの生き死にに『もしも』を持ち込んだなら、遺された者は前へ踏みだせない」

身を固くしている娘の細い肩に、助五郎は大きな手を置いた。

「充分に悲しむことは大切だが、今さら『もしも』を持ち出したところで、先に逝った者は決して喜びはしまい。それよりも、どうすれば又次の供養になるのか、よくよく考えてみることだ」

二十日ほど大坂に滞在するので、その間に返事を聞かせるように、と伝えて、摂津屋は長い話を結んだ。

大坂の街を東から西へ、滔々と流れる大川。その大川から分流し、北から南へと流れる東横堀川。川の境目には築地と呼ばれる造成地があり、葭屋橋という低い橋が架かる。

船の往来の妨げにならぬよう、葭屋橋には橋脚がないことで知られ、名所のひとつになっていた。昨年の暴風雨で橋が壊れ、今は一本だけ支えが設けられている。

ひとつ手前の今橋に立てば、眼下に葭屋橋、それに、大川と東横堀川の交わる景観を望むことが出来る。今橋の欄干はとても低く、油断して身を乗りだせば川へ落ちそうになるのだが、橋の中ほどに佇んで眺め入る旅人が後を絶たない。大坂名所ということで、役人も大目に見ていた。

吉原には橋がない。だから、橋の上に立てば、大門を出て人生を取り戻したことを改めて思う。江戸から大坂へ戻って以後、野江は一人になって考えをまとめたい時、この今橋に来ることを好んだ。

淡路屋の暖簾を守るためには、年内に婿を迎えて、店主に据えねばならない。

だが、かつて吉原で「あさひ太夫」と呼ばれていた身。唯一、事実を知る辰蔵だが、そこに拘らないとは思えなかった。

摂津屋からは、二十日のうちに、と念を押されたが、思考は堂々巡りを繰り返すばかりだ。

「お母はん、お腹空いたぁ」

背後で子どもの声がして、野江は振り返った。昼餉を食べに家に戻るのだろう、手習いの帳面を手にした童女が母親にまとわりつく。母親は野江よりも六つ七つ若く、懐に赤子を抱いていた。通り過ぎる時に、仄かに乳の甘い香りがした。

今橋の橋幅一杯に均一に陽が差しているのに、ほかはすっと翳り、母子のところにだけ光が集まって見える。吉原に居れば目にすることもなく、また、心に刺さることもない情景だった。

かつては、大門を出ることだけが生きる目的だった。無事にその目的を達し、遊里という籠から放たれて四年。今度は何を目指して生きていけば良いのだろう。

又次、と野江は心の中で又次を呼ぶ。

お前はんの言うた通り、生きて大門を出られましたで。けど、私はこの先、どう生きていくのやろか。

身請け人が生家ではないことを始め、全ての絡繰りは、江戸を出る時、摂津屋の口から聞いていた。身請け銭を用意してくれたことを決して明かさない友。そして、ありとあらゆる面で支えてくれる摂津屋。その恩に報いようと、この四年、精一杯だった。

ただ、今になって、時折り、どうにも虚ろになってしまう。奉公人に囲まれ、何不自由なく幸せに暮らしているはずが、迷い子のように心もとなかった。

「こいさん」

今橋の袂から、辰蔵が大股で歩いてくる。ひょろりと上背のある辰蔵は、とても目立った。

「やはり、ここだしたか」

戻りが遅いので心配になって、と番頭は控えめに告げた。

今橋の傍には、出会い宿の並ぶ浮世小路がある。良からぬ輩にでも声をかけられたら、と案じているのだろう。

「摂津屋の旦那さんは、お変わりのうおいででしたか」

番頭の問いに、へぇ、とだけ答えて、野江は欄干を離れる。もっと踏み込んで話を聞きたいだろうに、辰蔵はそれ以上は口を噤んだ。

　野江の少し前を、辰蔵は歩く。向こうから風体の良からぬ男が来れば背後に野江を隠し、酔客が脇を通る時はさり気なく横に立った。

「心配性な番頭さんだすな」

　野江が柔らかく言えば、へぇ、と辰蔵は白い歯を覗かせた。

「私、喧嘩が苦手で、殴られてもよう殴り返せぇしまへん。けど、背ぇが高い分、盾にはなれますよって」

　何だすの、それ、と野江は図らずも笑い声を立てた。笑うことで、固く強張っていた気持ちが徐々に解れていくのがわかる。

「お母ちゃん、腹減ったあ」

　遠くの方で、今度は男の子が母親に訴えている声がしていた。

　今年は暦の関係で一月が二度あったため、季節の廻りが随分と早い。まだ葉月のうちというのに、朝夕は綿入れが恋しい。閉めた障子の外では、鈴虫や松虫、蟋蟀が鳴き声を競い合い、陽が落ちれば奏者を増やした。

　その日の商いの報告を終えた辰蔵が、表情を改めて、野江を見る。

「今日、摂津屋の旦那さんに店の方へ呼ばれて、お話をさせて頂きました」

日中、辰蔵の姿が一刻（約二時間）ほどの間、見えなかった。顧客のところだと思い込んでいたが、摂津屋と会っていたのか。

野江は軽く息を吸い、ほうか、と応えた。みをつくしでの再会から十日、なしの礫（つぶて）に業を煮やした摂津屋が、直談判（じかだんぱん）に及んだに違いなかった。

摂津屋との話の内容を、野江にどう伝えれば良いか迷っているらしく、辰蔵は口を開きかけては閉じるのを繰り返した。黙り込む二人に代わって、秋の虫の音が座敷を満たした。

「無理に話をせんでも構わへん。粗方（あらかた）のことは、わかってるつもりだす」

月影で仄明（ほのあか）るい障子に目を向けて、野江は続ける。

「店のために決心せなあかんことは、重々承知してます。けど、ひとは浄瑠璃（じょうるり）で操られる人形とは違う。お前はんにも、私にも、心がある」

難しおますな、と野江は声を低めた。

膝に揃（そろ）えていた両の手を拳（こぶし）に握って、番頭は野江から視線を外したまま口を開く。

「実は三年前、摂津屋の旦那さんに淡路屋の代判（後見）をして頂く際に、よう言い含められたことがおました」

女名前禁止の猶予の三年の間に、淡路屋の店主に相応しい男を探さねばならない。野江が自身で選ぶのが一番だが、もし、そういう廻り合わせがなかった場合、辰蔵を婿に推すつもりだ。その立場に相応しいように精進するように、と。

「その言葉が嬉しかったんは事実だす。けど、淡路屋の主になりとうて、この三年を過ごしたわけやおまへん。こいさんが出しはる知恵を商いに結びつけるんが面白うて、商いが楽しいて。それに、私は」

ふいに言葉を切って、辰蔵は身体ごと野江の方へと向き直った。

「こちらでご奉公させて頂くうちに、こいさんの心の中に、どなたかが棲んではるのに気が付いたんだす。摂津屋の旦那さんでもない、別の、私の知らん誰かが」

誰か、深く想う相手が居るにもかかわらず、婿を迎えて店主に据えなければならないとしたら、どれほど辛いことだろうか。

今日、摂津屋から三年前の約束を持ち出された時、そのことばかりで頭が一杯になった。結局、即答を避けて店に戻ったのだという。

「摂津屋の旦那さんは、こいさんの昔に拘ってるんやないか、て言わはりました。けど、そうやない、そうやないんだす」

辰蔵は八つで心斎橋の小商いの萬小間物商に奉公に出された。ある程度の奉公を終えれば、父親が番頭を務める淡路屋へ移されることが、予め店主同士の間で決められていた。そうした事情もあって淡路屋へは度々使いに出され、当時から、幼い野江のことを見知っていたのだという。

「鴇色のお召し物のよう似合わはる、それはそれは聡うてお綺麗な嬢さんだした。旦那さんとご寮さんに連れられて、天神祭りに行かはるお姿もよう覚えてます」

他店で奉公していたのは知っていたが、あとは初めて聞く話だった。どうしてこれまで黙っていたのか、という台詞を、野江は呑み込んだ。幼い日の姿を深く胸に刻み、口にしないことが、すなわち野江に対する思慕だと気付いたからだった。

切ない表情から一転、辰蔵は苦しげに打ち明ける。

「江戸へお迎えに上がってお顔を見た時、昔のことを思い出して胸が詰まったんだす。このおかたには幸せになってもらわな、と。ご苦労なさった分、誰よりも幸せになってもらわなならん、と。そない思うたんだす」

こいさん、と辰蔵は野江の方へ僅かに身を傾けた。

「こいさんが慕わはるお相手なら、間違いないて思います。何ぞ事情があって一緒になられへんのなら、私を形ばかりの婿養子にしとくれやす」

「形ばかりの婿て……」

辰蔵の誤解を指摘できぬまま、野江は絶句していた。

淡路屋の暖簾を守るためには、男の名前が必要ゆえに自分の名を使え、ということか。夫婦として契ることをせず、表向きの店主になる、というのか。

野江の思考を酌んだのか、へぇ、と辰蔵は頷いた。

「事情が許して、そのおかたと夫婦になれるその時まで、どうか、私を隠れ蓑にしとくれやす」

思い違いに気付くことなく一途に突っ走っている辰蔵のことを、しかし、野江は笑えなかった。

吉原で長く過ごしたがゆえに、裏切り、あるいは裏切られる男女を数多く見てきた。どれほど取り繕ったところで、相手を真摯に思っているか否かはわかる。

こいさんを、その幸せを守りたい。そのためになら盾にでもなる――辰蔵の心の声が、野江には確かに届いた。

真には、真で応えたい。

野江はそう思い、居住まいを正す。辰助どん、否、辰蔵さん、と男を呼んで、

「私の打ち明け話を聞いてくれはりますか。えらい、長い長い話になりますけんど、最後まで聞いてくれはりますか」

と、切り出した。

享和二年（一八〇二年）、水無月二十七日より大坂の街は雨を見た。雨脚は徐々に強まり、二十八、二十九と生國魂神社や仁和寺などの由緒ある神社仏閣に被害をもたらした。三十日、淀川の水位が増したことを受け、昼夜通して太鼓や鐘を鳴らし、注意を喚起した。

淡路屋では店主一家も奉公人らも外出を控えて、野分が去るのを待った。

「ずっと太鼓が聞こえて、何やお祭りみたいやなぁ」

外出を禁じられた二人の姉、房と華とがそんな話をしていたことを、野江は覚えている。これまでにも度々、野分は街を襲ったし、誰もがそれほど大事になるとは考えていなかった。だが、止まぬ豪雨に川の堤が持ちこたえられずに、文月朔日、四十三か所で決壊。夕刻には天満橋、天神橋も流失し、大坂の街は水に呑み込まれた。

様子を見に兄の吉弥と表へ出た父の、

「ああ、もうあかん」

という絶叫を最後に、西横堀川から溢れ出た水が襲い掛かり、店は押し流された。

それこそ、あっという間だった。土蔵造りではなかったため、めりめりと音を立てて建物が歪み、崩れた。

囂々と異様な音が響き続ける中で、一瞬、母の声を聞いた。

「床柱に捉まんなはれ」

言われた通りに両手と両足で柱に抱きつく。雷鳴が轟き、稲光が周囲を照らす。香木や書画が野江の周りをくるくると回り、姉たちの結髪が浮き沈みするのが見えた。水を吸った着物は途方もなく重く、身動きが取れない。床柱にしがみ付いて、懸命に水面から顔を出していたが、ゆっくりと幕が引かれるように意識が遠のいていった。

どういう経緯で助け出されて、御救い小屋へ運び込まれたのか、今ひとつ、はっきりしない。目覚めた時には自分が何処の誰なのか、何も思い出せなくなっていた。大水の被害はあまりに大きく、御救い小屋は家を失った人々で溢れ、混迷を呈していた。身元の知れない童女に心を砕く者は居ない。女衒の卯吉が現れたのは、そんな時だった。

のちに判明するが、女衒にとって御救い小屋は宝の山なのだ。孤児になった童女を、「親戚」と称して引き取って廓に売り飛ばす。卯吉はそうした童女を物色するべく、御救い小屋を廻って、野江を見つけたのだ。一目見て、水原東西が「旭日昇天」の易を出した少女だと気付いた時は、欣喜雀躍したことだろう。
役人の方でも、明らかに怪しければ連れ出しを禁ずるが、そうでなければ見過ごしてしまう。野江は何もわからぬまま、卯吉に引き取られ、江戸へ向かうこととなった。道中、水害で亡くなった親に莫大な借財があったとの嘘を吹き込まれ、否応なしに吉原へ売られてしまうのだ。

「これはこれは」

京町二丁目に在る、中堅どころの廓、翁屋。その楼主の伝右衛門は野江の頤に太い指をかけ、面をしげしげと眺めると、満足そうに頷いた。

「気に入った、気に入りましたよ、卯吉」

「こいつぁ間違いなく上玉に育ちますぜ。何せ『旭日昇天』の天下取りの相だ」

俺ぁ、易者からじかに聞いたんですぜ、と卯吉は高揚した口調で言い募る。

伝右衛門が何処まで卯吉の話を信用したかは不明だが、その場で証文を交わして野江を翁屋に引き取った。こうして野江は「あさひ」の名を与えられ、当時、翁屋で一番人気の花魁「つばき」付きの禿となった。

八つながら目鼻立ちのはっきりとした、色白の美しい童女は、禿の装いが似合い、場をぱっと華やかにする。つばきも最初のうちこそ、野江を可愛がったが、年が明け

た頃から、

「あれが居ると、わっちが霞んでしまう。殆ど口を利かぬのも、無駄に聡いのも、小憎らしい」

と、疎んじるようになった。

訛りを封じるための里言葉にどうしても馴染めず、野江は滅多に口を開かぬようにして過ごした。それが生意気だと言われて、遣手から抓る、叩くという折檻を受けた。だが、どれほど折檻されても、泣くことも許しを請うこともしない童女に、遣手は腹を立て、終いには食事も水も与えず、窓のない行灯部屋に閉じ込めた。

足抜けを試みた遊女の折檻に用いられたり、病に倒れた遊女を隠したり、と廓の闇を呑み込む部屋に押し込められること自体が、子どもには恐ろしい。両の腕を自分の身体に回して抱き締め、ぎゅっと目を瞑って懸命に耐えていた、その時だった。

——野江ちゃん、野江ちゃん
少女の声とともに、ぼんやりと姿形が闇の中に浮かんだ。両の眉の下がったところに、微かに見覚えがある。

——野江ちゃん、私、澪のままで居たい。名前が変わるんは嫌や
ああ、まただ、またこの夢だ、と野江は思う。

今年になってから、同じ夢を幾度も幾度も見ていた。少女の名は澪。野江というのは、おそらく自分の本当の名前だろう。

翁屋で暮らすようになって、四月あまり。女衒がどういう役回りの者かもわかったし、卯吉の話は全くの作り事に違いない。茶碗を落として割ったかの如く、粉々になった記憶のその僅かな断片が、少しずつ、少しずつ、手もとに集まりつつあった。

その最たるものが、「味」だった。

炊いたご飯は別として、翁屋での乏しいお菜や、お客が取った喜の字屋の料理の食べ残しを口にする度、何とも心もとない気持ちになる。どうかすると、喉の奥にこっくりと甘い味噌の味が蘇ったり、昆布のまろやかな出汁の風味を思い出したりするのだ。何もかもわからなくなったはずが、味の記憶が真っ先に戻っていた。

だが、この先、どこまで思い出せるかわからない。

家族も居ただろうに、大水までの暮らしもあったはずなのに、その過去を取り戻せないまま、生きねばならないのだろうか。

寒さの中で、何故か無性に喉が渇いていた。度を越した空腹で胃の腑の辺りがしくしくと痛む。飢えと喉の渇きとは、水害の御救い小屋で散々味わったものだ。

もう良い、と九つになった野江は思った。足抜けを試みた遊女がどういう目に遭わされるのか、知っていた。それでも、ここには留まっていたくない。

遣手が厠へ立つため行灯部屋の前を離れる、その一瞬を狙い定めて、野江は部屋を抜け、干してあった桶と手拭いを手に取った。堂々と歩いて勝手口に向かう野江を、男衆らは折檻を許されて湯屋へ行くのだろう、と思い込んだ。手拭いを掛けた桶を胸に抱えて、翁屋を出る。隣家を過ぎた途端、土を蹴り、野江は走った。

京町二丁目の表通りを駆け抜け、湯屋の前を過ぎ、走りに走る。

睦月末とはいえ、吐く息はまだ微かに凍る。結髪が崩れようが裾が捲れようが構わず、無我夢中で野江は駆けた。

吉原には廓のほかに様々な商家がある。ことに、妓楼のない揚屋町では、食料や日用の品を商う店が建ち並び、長屋には商人や職人、芸事の師匠などが棲んでいる。揚屋町だけを見れば、とても色里とは思われない。

聡いようでも、まだ子ども、そこへ逃げ込めば何とかなる、と思い込んでいた。

「翁屋の者だが、禿が逃げちまった」

店を抜け出して小半刻（約三十分）もしないうち、若衆が揚屋町の表通りを、大きな声を上げて歩いた。野江は驚いて、天水桶の陰に身を隠す。

顔馴染みの若衆は、代わる代わる商家を覗いては、

「湯ぅへ行く振りして逃げやがった。見つけたら捉まえて送り届けてくんな」

と、頼み込んでいた。

豆腐屋の女房が表へ顔を出し、あいよ、と慣れた調子で気易く応じる。

「禿なんざぁ可愛いもんさ。知恵がないから、ここに来れば隠れられると思ってる」

そこいくと大人は廓の外へ逃げちまうからねぇ、と女はからからと笑った。

どうあっても、逃げおおせてみせる。

野江は若衆の姿が遠のくと、手拭いと桶とを手放して、その反対の方角へと駆けた。仲の町の通りの左右は辛うじて知っていても、西河岸がどんなところか、河岸見世がどれほど無残なところか、野江は知らなかった。溝のすえた臭いが鼻をつく中、手拭いを頭からかけて顔を隠した女郎が客を引いている。身に纏う物は薄汚れ、手招きのため差し上げられた腕は青黒く、折れそうに細い。翁屋で目にする遊女らとまるで異なる様子に、野江は恐れて足が竦んだ。

「あっ」

ふいに背後からどんと当たられて、野江は呆気なく転ぶ。

突き飛ばした相手は、陽射しを遮る位置に立っていて、表情などはわからない。頑丈な体軀の大男に見えた。生ぐさい臭いが、ふっと漂うのを野江の鼻が捉えた。

「済まねぇ」

意外にも男は詫び、腰を落として、野江の顔を覗き込む。年の頃、二十四、五ほどだろうか、眉間に深い縦皺の入った、目つきの鋭い男だ。頑丈そうな顎は縦に割れ、それが一層、強面に見せていた。

江戸町の表通りから「まだ見つからねぇ」「餓鬼のくせに手間ぁ取らせやがるぜ」と声高に話す声がする。自分を探す翁屋の若衆たちだ、と察して、野江は男の陰で身を縮められるだけ縮めた。

男は背後を振り返り、今一度、野江に視線を戻して、ああ、と呟いた。そして、右腕を伸ばして野江を横抱きにすると、小脇に抱えて立ち上がった。そのまま疾風の勢いで、河岸見世の間の路地を抜けていく。

そこが男のねぐらなのか、江戸町の裏通りにある長屋の一室は、煮炊きの匂いが微かに残るほかは、随分と殺風景だった。板敷に腰を掛けて、野江は先刻より男の様子を見守っている。

広く取られた土間で、男は乱暴に着物を脱ぎ棄てた。桶に水を張り、着物を放り込む。木綿の綿入れに着替えて帯をぎゅっと締めると、初めてまともに野江を見た。

「腹ぁ減ってんだろ。ちょいと待ってな」

男は七輪を土間の真ん中に置き、消し炭を足して火の様子を見た。竈に置かれていた鍋から汁物を小鍋に移し、七輪にかけて温め直す。暫くすると小鍋がくつくつと音を立て、部屋に美味しそうな匂いが漂い始めた。

どうにも懐かしい匂いだった。

やがて、大ぶりの木の椀にたっぷりと装われた汁物が、野江の前に置かれた。おぼろに霞む白い汁にささがき牛蒡、細く切った油揚げ、蒟蒻の具が覗いている。

その汁物に、確かに見覚えがあった。

「から汁、てぇんだ」

男は言って、小さな竹筒の容れ物を、器の上でぱっぱっと振った。鼻をくすぐる独特の香りが立った。

「好き嫌いもあるだろうが、粉山椒をこうしてかけると、旨い」

さ、食ってみな、と促されて、野江は箸を手に取った。器に口をつけて、汁を啜る。舌が、口の中が、喉が、その味を覚えている、と訴える。確かに、食べたことのある味だった。

卯吉に大坂から連れ出されて以来、初めて、記憶に残る味に巡りあえた。

から汁は、唐汁。そうだ、唐汁だ。

脚付きの膳に乗っていた朱塗りの器、誰かはわからないが、並んで食べている少女たち。確かに、食べていた味だ。懐かしい、懐かしい味だった。

目の奥が焼き鏝（ごて）をあてられたように熱くなり、ぶわっと涙が噴き出した。自分でもわけがわからない。

ささがき牛蒡も、油揚げも蒟蒻も、どれも記憶の中の唐汁に用いられていたのと同じだ。泣きじゃくりながらも、箸を止めることなく、野江は夢中で食べ進める。

「旨いか」

泣いていることには触れず、男は尋ねた。刃物を思わせる眼光は消え、温かな顔つきになっていた。

空になった器を野江の手から取り上げ、お代わりを装いながら、男は言う。

「から汁てぇのは、おから汁のことだ。『卯（う）の花（はな）汁』とか『雪花菜（きらず）汁』とか、呼び名は色々だが、おからを丁寧に擂鉢（すりばち）で擂（す）って、滑らかにして、塩で味をつける。味噌や醤油（しょうゆ）を入れる奴（やつ）も居るが、塩だけの方が旨ぇのさ」

手渡された器を両の掌（てのひら）で包み込んで、暫く野江は中身に見入った。

おからを出来る限り丁寧に擂鉢で擂ることが決め手になる。出汁も使わず、味噌も入れず、味付けは塩だけ。それゆえ、大坂で食べていたのと同じ味なのだろう。

「翁屋から逃げてきたのか」

責める口調ではない、平らかな声で男は尋ねた。

野江は顔を上げ、こっくりと頷いた。

そうか、と男は頬を緩める。

「翁屋は大見世とは違うが、酷(ひど)くはない、いや、むしろ恵まれてる方だ。悪いこたぁ言わねぇから、戻んな。今なら折檻だけで済む」

言葉だけを聞けば優しげだが、男の声には有無を言わさぬ底力があった。野江は無言で、男の目をじっと見つめていた。

「吉原が苦界なのは、何も遊女にとってだけのこっちゃねぇのさ」

男もまた、野江の瞳を鋭く見返した。

「俺ぁ廓の料理番だが、物心ついた時から同じ見世に居る。楼主には、拾って育ててもらった恩がある。そいつがどんな外道でも、恩は恩だ」

短く息を吐いたあと、男は声を落とす。

「屑(くず)みてぇな女衒やら、抱え女郎を食い物にする情男(いろ)やら、廓のためにならねぇ輩を、この手で始末しなきゃならない時もある。良いも悪いも、出来るも出来ないもない」

言い置いて立ち上がり、男は桶に浸けていた木綿の袷をざぶざぶと手洗いし始めた。解いて洗わないのか、とぼんやり眺める野江の耳に、独り言にも似た呟きが届く。

「始末の時に着ていた物ってのは、こうやって丸洗いするより無ぇのさ。そいつがろくでもない野郎であればあるほど、とんでもなく嫌な臭いを残して逝きやがる」

　始末の意味が、野江の知るそれとは明らかに違う。言葉の持つ不穏を、その禍々しいまでの中身を、子どもなりに理解できた。だが、不思議と目の前の男のことを、恐ろしいとは思わなかった。

　唐汁の味わいからして、腕の立つ料理人に違いない。料理とは違う腕を、報恩という名目のもと、楼主によって利用されてしまったのだ。

「何でだす？　何でそないなことになってしもたんだす」

　九つの少女の問いかけに、相手は洗い物の手を止めずに、

「そうした廻り合わせだろうよ。吉原で生み捨てにされて他に生きようがなかった」

と、答えた。陰鬱ではない。むしろ、からりとした明るい声だった。

　廻り合わせ、という一言には、あらゆる不条理を呑み込んでしまう力がある。

　色里吉原は、真っ当なひとの考えの及ばない地獄なのだろう。この男と同じように、野江も廻り合わせでその地獄に陥ってしまったのだ。

「今、ここから逃げることは叶わへんのだすか？」

　返事の代わりに、男はふっと甘く笑う。

　翁屋でも、遊女が吉原を出るには、年季明けを待つか、旦那に落籍されるか、あるいは死んで骸になるしかない、と聞かされていた。手引きしてくれる者が居れば、あるいは足抜けも出来るだろうが、今、自分にそのあてはない。目の前の男が敢えて答えないことこそが、真の答えなのだ、と野江は悟った。

　どう足掻いても、ここからは逃げられない。逃げられないのだ。

　両の肩が落ちて、野江は力なく汁椀を放した。

　男は満身の力を込めて洗い物を絞ると、桶の水を土間に撒き、野江を振り返った。

「吉原を出たけりゃあ、今は逃げることは考えるな。ここで、どうあっても生きて生きて、生き抜くことだけ考えるこった」

　生き抜くことだけを、と野江は小さく繰り返す。

　卯吉に連れられて大坂を発つ時、まだ泥の中に打ち捨てられたままの沢山の骸を目にした。その多くが衣類を剝ぎ取られ、櫛や簪を抜かれていた。母に抱かれた、野江くらいの童女の骸もあった。

　同じ姿になっていても何の不思議もないのに、廻り合わせでこうして吉原で生きている。突然に絶たれてしまった数多（あまた）の命の無念が、今さらながら、胸に応える。

死んだ方がましだった――そんな言い訳は決してしまい。

野江はじっと考え、考えた末に再び箸を取った。椀を持ち、冷めた汁を啜る。吉原で食べる唐汁は、郷里のそれと同じ味がした。

生きてここを出よう。

どんなことをしても、生きて生きて、生き抜いてここを出よう。

そう誓う禿の双眸に、もう涙はなかった。

吉原で終日大門が閉ざされるのは、元日と文月十三日の二日限りである。正月二日の初買いから始まり、大晦日（おおみそか）の狐舞（きつねま）いで締めるまで、春夏秋冬、客の気持ちを逸らさない趣向が練られている。

そのため、遊里での一年は長いようで短く、四季が気ぜわしく移ろう中で、客も遊女も全く同じというわけにはいかない。没落する者あり、台頭する者あり。その顔ぶれも、置かれた状況も、目まぐるしく変わっていった。

文化（ぶんか）七年（一八一〇年）、如月（きさらぎ）晦日。

花見に備えて、仲の町の中央の通りには青竹の垣根が張り巡らされた。植木職人の手で千本の桜樹が移され、樹下には黄色の山吹が植え替えられて、明朝、最後の手入れを待つばかりであった。いずれも蕾は綻び始めたところで、明日から一か月の間、花見目当ての老若男女を喜ばせることになる。

初日を前に、今宵の吉原は、廓もお客らも春景を摘まみ食いする心持ちだった。

引け四つ（午前零時）を過ぎ、清掻も鳴りを潜めた。廓は表戸を閉ざして、新たな客は通さない。静けさを取り戻した京町二丁目の表通りで、不思議な光景が見受けられた。

翁屋の前に佇む男が十五、六人。両隣りの廓の二階の窓辺にも、翁屋の方へと身を乗りだす客の姿があった。

絶えぬ想ひと　ひとには告げよ
今は難波の　今は難波の
身をつくし　身をつくぅす
宵々濡るる　我が袂ぉ

澄んだ美しい唄声が、翁屋の二階座敷から流れていた。三味線の伴奏もない、ただ声のみの唄は、しかし胸に染み入り、心を捉えて離さない。

「鶯さえも聞き惚れる、ってなぁ、確かだな」

一人が呟けば、残る全員が深く首肯する。

「ありゃあ、つばきって花魁かい？」

「馬鹿を言え、つばきなんざ、とうに落ち目よ。あれは翁屋の秘蔵っ妓、禿の『あさひ』さ。新造出しもまだだが、のめり込むお大尽が後を絶たないって評判だぜ」

天女の如き美貌で、牡丹の花さえ自らを恥じて萎れてしまうほどだ、と声高に話す者が居る。

「静かにしねぇか」

誰かが窘めて、皆がまた、耳を澄ませる。

花は折りたぁし　梢は高ぁし
心尽くしの　身は如何ぁにせん
桜花が甘く香る夜風に乗り、切なくも美しい唄はまだ続いている。

「わっちは、嫌でありんす。びた一文、出す気はござりぃせん」

翁屋の内所から、つばきの尖った声が広間の隅々まで届く。

「あれの引き立て役を、わっちが務めねばならぬ謂れはありぃせん」

広間で遅い朝餉を取っていた遊女らは、一斉に箸を止め、興味深げに内所のつばきの背中と、広間の隅に控えている野江とを、交互に見やった。

野江は先刻から窓の外を眺めていた。

京町二丁目の表通りはまだ殆ど人出がない。ほかの廓の若衆が、泣き叫ぶ禿を肩に担いで、歩いていた。逃げ出した禿を首尾よく捉まえたのだろう。暴れる童女を封じ、「手間ぁ取らせやがって」と口汚く罵る。

禿とかつての己とを重ね合わせて、野江は目立たぬように、ひぃふぅみぃ、と指を折った。

あれから七年になる。

生きて生きて生き抜け、という言葉をお守りに、今日まで生きてこられた。名前を聞くことなく別れたが、野江を匿い、唐汁をご馳走してくれた男の面影を、鮮やかに思い出す。

今、あの男は何処でどう生きているのか。

男の居た場所も、中の造作もよく覚えているのだが、あれ以来、一人では一歩たりとも翁屋の外には出してもらえていない。

「大概にしねぇか、つばき」

仕切る壁も障子もない、剝き出しの内所で、伝右衛門が声を荒らげた。

「昔っから、新造出しにかかる金銀は、姉女郎が出すってのが吉原の規だ。手前の抱える禿が新造出しをする、ってぇ目出度い話に、水を差す奴があるか」

「嫌なもんは嫌でありんすよ」

負けずに、つばきは吐き捨てる。

吉原では、禿が新造になる時に、派手なお披露目をする仕来りがあった。引手茶屋を始め、いずれ世話になる相手へ、蕎麦や赤飯を配る。見世の表に蒸籠を積み、白木の台を置いて、縮緬に羽二重、綸子、緞子などの反物を豪勢に重ねる。一人前の遊女となる手前の華やかな披露目の儀式で、その費用は妓楼ではなく、姉女郎が出すのが決まりだった。だが、器量でも芸事でも妹分に抜かれた形のつばきは、これを激しく拒んでいた。

つばきからは、思いつく限りの嫌がらせを受けてきた。ただ、禿を一人抱えることで、廓に対する借財が膨らんでいくその立場を慮れば、色々なことも呑み込めた。

新造出しをしてもらえずとも、別段、困りはしない。

ほかの遊女がしないことを、と古い端唄の本を手に入れ、自分なりに節をつけて唄った。師匠につけば、稽古代は姉女郎が負うことになるので、全身を耳にして節回しなどを聞き覚えた。これからも、色々に工夫して翁屋のあさひを知ってもらえれば良い——そんな風に考えていた時だ。

「ちょいとお邪魔しますよ」

とんとん、と階段を下りる音がして、錆御納戸色の羽織姿の、五十代半ばと思しき男が内所へ声をかける。

ああ、と野江は思う。その顔に見覚えがあった。男の姿を認めた伝右衛門が、転がるように駆け寄って、相手の足もとに平伏した。

「摂津屋さま、このようなところにお越しにならずとも、私が座敷に伺います」

摂津屋と呼ばれた男は、いやいや、と大らかに笑っている。

昨夜、仲間に連れられて初めて翁屋を訪れた客で、野江を座敷へ呼んで唄わせた札差だった。「よもや『松の葉』を耳にするとは」と大層喜んでくれた。唄本の題名を当てた客は初めてだったので、野江の心にも強く残っていた。

「話は聞かせてもらいましたよ」

摂津屋は言って、着物の裾をぱんと叩いて姿よく座った。

「どうでしょうかねぇ、この妓の新造出しの披露目を、私に持たせて頂けませんか」

「げっ」

がばっと身を起こした楼主は、驚きのあまり後ろに引っくり返りそうになっている。

遣手は狼狽えて尻餅をつき、遊女らは遊女らで、とんでもない場面に遭遇してしまった、とばかりに固唾を呑んだ。

この時、野江はまだ知らなかったが、摂津屋とは、清酒醸造から札差に転じ御用商人となった豪商、摂津屋助五郎そのひとだった。

摂津屋助五郎の鶴の一声で、新造出しは弥生十五日と決まった。その日は梅若忌。平安の昔に京で人買いに攫われ、隅田川まで辿り着いたところで病死した梅若の命日に、新造出しの披露目が行われる。野江は廻り合わせの不思議を覚えた。

御用商人が翁屋の「あさひ」という禿の新造出しを引き受けた、という噂は瞬く間に吉原中に広まった。摂津屋助五郎という豪商を大見世でもない翁屋に取られた——その事実に大見世は怒り狂い、中小の見世は羨み妬んだが、気にするような伝右衛門ではない。

そして迎えた、新造出し当日。花見客とは別に、披露目を一目見ようとする者が廓前に集まっていた。

野江の仕度には、一階の一番奥、楼主夫婦が寝起きする座敷が特別に当てられた。金銀の鶴の刺繍が施され、ふきにたっぷりと綿を詰められた曙染めの振袖。幅広の錦の帯も鶴紋で、極上の絹織の中着とともに誇らしげに出番を待つ。

特別に奥の風呂を使わせてもらい、羽二重の襦袢一枚を身につけて、髪を結われた。

「どれ、見せて御覧な」

髪結いが下がるのを待って、翁屋楼主の女房が野江をしげしげと眺める。大櫛一枚に、左右に四本の簪。天冠にも似た金銀細工の花簪は、桜花を模したものだ。

「うちみたいな見世が、この仕度だよ。摂津屋さまさまさ。櫛も簪ももっと数を挿したいんだが、まぁ、新造出しだからねぇ」

突き出しの披露目が今から楽しみだ、と女房は舌なめずりでもしているように両の眼を細めた。女房の手を借り、中着を着て振袖に両の腕を通した、その時だった。

どんっ、と大きな音がして、路地に通じる戸口の板戸が外れて頑健な男が現れた。肩口に匕首が刺さったままになっている。男の顔を認めて、野江は「あっ」と息を呑んだ。

「お前、花長楼の料理番じゃないか。一体、何の真似だい」

腰を浮かせて女房は怒鳴った。

「何も悪さはしねぇ、見逃してくんな」

誰かに追われているのだろう、男は内側に身を隠し、外を気にしている。

「冗談じゃない。手前を匿う義理なんざ、こっちにはないんだ」

金切り声を上げる女房の鳩尾を、男は素早く肘で打ち、失神させた。無理が祟ったのだろう、男は肩を庇ってその場に蹲る。

括り帯を手に男に駆け寄り、野江は肩口を細帯できつく縛った。

「助けてくれるのか」

掠れた声で問う男に、野江は頷き、匕首に手を掛けると一気に抜いた。素早く傷口に手拭いを重ねてあてがい、上から力を込めて押さえつけた。手拭いは瞬く間に真っ赤に染まり、溢れ出た血が振袖の胸もとを汚した。

「女の身仕度には刻がかかりますが、まぁ、焦らされるのもまた」

廊下から伝右衛門の上機嫌な声と、板張りを踏む音が重なって聞こえる。二階座敷に居た摂津屋ら上客を案内してきたのだ。

「あさひ、摂津屋さまとお仲間……」

襖を開けて中を覗いた伝右衛門だが、その顔から血の気が引く。畳に伸びた我が女房を認め、楼主は太い身を躍らせて座敷に飛び込んだ。おい、と女房を強く揺さぶり、気を失っているだけと知れると、恐ろしい形相で男を睨み付ける。

「手前、確か、花長楼の又次とか言ったな。楼主の手先になって危ねぇ橋を渡ってると聞くが、こいつぁ一体、何の真似だ。翁屋に何の恨みがある」

この手で会所に突き出してくれる、と伝右衛門は怪我人に飛びかかろうとした。

野江は咄嗟に二人の間に割り入り、両の腕を広げて、又次と呼ばれた男を守った。

「あさひ、お前は何の関係もないだろう」

背後に控える摂津屋の手前、伝右衛門は野江を突き飛ばすわけにもいかず、辛くも怒りを抑えている。

「関係おます。このおひとは私の恩人だす」

後ろに又次を庇ったまま、野江は声を張った。緊迫した場面のはずが、摂津屋が興味深そうにこちらを見ているのがわかる。

「七年前、翁屋を逃げ出した私に、戻るよう諭してくれはったおかただす。凍てるこの身ぃに、湯気の立つ食べ物を与えてくれはった。吉原で生きる覚悟を、決めさせてくれはった。せやさかい、私の恩人だすのや」

あっ、と低い声が、又次の口から洩れた。

ううむ、と伝右衛門は思わぬ展開に唸る。

「そいつは今まで何人もの女衒を手にかけてきたが、今回はし損じたんだろうよ。女衒連中から命を狙われるような野郎に関わることはない。怪我をする前に離れるんだ、あさひ」

騒ぎを聞き、若衆たちが血相を変えて駆けつけた。伝右衛門が顎で又次を指し示し、皆が一斉に飛びかかろうと身構える。待ったなしだった。

野江は咄嗟に、畳に置かれていた匕首を手に取り、自分の頬に押し当てた。

「このおひとに指一本でも触れてみなはれ」

落ち着き払った声で、野江は続ける。

「この顔に傷をつけて、売り物にならんようにしますで」

「な、何をする、あさひ」

楼主の声は裏返り、男たちは怯んだ。誰も手が出せないまま、ただ又次の傷を押さえた手拭いから血がだらだらと流れ続けている。

早く手当てをしなければ、と野江は思うものの、身動きが取れなかった。

「あさひ」

ふいに、若衆たちの奥から、摂津屋が野江に問いかけた。

「その又次とかいう男がお前さんに馳走したのは、何という料理か」

「唐汁だした」

嘘の話なら、言葉に詰まったり、逆に早口になったりする。迷いもなくすんなり応える野江の様子に、摂津屋は「なるほど、作り話ではないようだ」と頷いた。そして、男たちをかき分けて楼主の傍に立つと、摂津屋は、伝右衛門殿、と呼びかけた。

「私はこの禿がひどく気に入りましてね、買い上げようと思うのだが、むざむざ、顔に傷をつけるのは見ていられない」

「摂津屋さま、私とて同じでございます」

苦しげに声を振り絞り、伝右衛門は札差の足もとに身を投げ出す。摂津屋は腰を落とし、平らかに続けた。

「話を聞けば、この男はあさひの恩人に違いない。さすれば、翁屋にとっても恩人ということになる。この禿が居なければ、私がお前さんの廓を贔屓にすることもなかったでしょうからねぇ」

伝右衛門の禿頭にふつふつと汗が浮き始めた。老練な札差は、楼主に畳み掛ける。

「恩人が女衒に狙われているのなら、翁屋が匿うのが筋というものだ」

いや、それは、と伝右衛門は狼狽える。

「たとえ摂津屋さまのお言葉でも、いくら何でもそれは」

「そうですか、残念なことだ」

助五郎は頭を振り、楼主に背中を向けた。

「誰を助け、誰に恩を売るか、商いの肝は結局はそこなのですがねぇ。私と翁屋とのご縁もここまで、ということなのでしょう」

「お、お待ちくださいませ」

大見世ではない翁屋が御用商人の上客を失う、という危機に泡を食った楼主は、助五郎の前に回り込んだ。

「又次は私どもで匿わせて頂きます。何とぞ、お見限りはお許しのほどを」

この通りでございます、と伝右衛門は両の手を合わせて、相手を拝んでみせた。

宜しい、と摂津屋は頷いて、若衆たちに、

「すぐに医者を呼んで手当てを」

と、命じた。そして、禿の傍に歩み寄り、黙って掌を差し伸べる。

一瞬逡巡したが、野江は意を決し、匕首の刃を手前に向けてその手に載せた。

良い子だ、と摂津屋は両の目を細める。

気絶した女房を抱えて若衆たちが部屋を去り、伝右衛門と摂津屋、それに摂津屋の連れ二人が野江らとともに座敷に残った。

連れ二人は摂津屋より少し若いが、身に纏う選り抜きの絹織や象牙細工の印籠などの小物からも、懐豊かな商人と知れた。

ひとりが、野江へと膝を進める。切り出したばかりの材木の芳香が、その身体からふっと漂っていた。

「嘘はあっても真のない吉原で、実に良いものを見せてもらった。私はもともとお前さんの器量と唄の虜だったが、今の振る舞いには感心しましたよ。度胸があって、義理堅い」

「私とて同じ気持ちです。この遊里で、くに訛りを通すところも心憎い」

今ひとりの連れも身を乗りだした。大黒天を逆さにした金の根付が帯に挟んである。

「いずれ吉原きっての花魁になるだろうが、良からぬ者に手折らせたくはない」

二人の台詞に、摂津屋も大きく頷いた。

頭の中で算盤を弾いているのだろう、翁屋は狡猾な笑みを浮かべる。

「では、御三方ともあさひの水揚げをご希望ということで」

「違う」

くしくも三人の声が揃った。思わず顔を見合わせて苦笑いし、では私から、と摂津屋助五郎は翁屋伝右衛門と対峙する。

「実は今しがたまで、この三人で話していたことだが、あさひを、新造から年季明けまで全部、私たちで買い上げたい、ということですよ」

「身請け、ということでしょうか」

禿を身請けするなど聞いたことがない。おずおずと尋ねる伝右衛門に、摂津屋は、そうではない、と頭を振った。

「我々は三人とも、もう五十を過ぎてしまった。残る人生がどれほどかはわからぬが、ここらでひとつ、夢のある賭けがしたい、ということになりましてな」

それぞれが商いで成功をおさめているが、蓄財も度を過ぎれば、人生を尻すぼみにしてしまう。老いきってしまう前に、夢のある賭けをして弾みをつけ、商人として生きる張り合いとしたい。三人で話し合い、あさひ買い上げの案が出たのだという。

「禿から新造、そして花魁になって、年季明けまで働く——遊女としての一生分を、我々で買い上げたい。つまりは、身請け銭の先払い、と思ってもらって構わない。実際に身請けして旦那になれるのは、ただ一人。三人のうち誰を選ぶかは、いずれあさひに決めさせれば良い。それまでは、三人がそれぞれに相応の金銀を翁屋に預けて、あさひを買い切らせてもらいたい」

摂津屋からの申し出に、三人から身請け分の金銀を預託される、と即座に理解したのだろう、翁屋はだらしなく口もとを緩めた。

「お三方とも、何とお目の高い。何せあさひは『旭日昇天』、今後のご商売の守り神になることは間違いなしでございますとも」

楼主と客の話し合いに道筋がついていくのを、野江はただ黙って聞くばかりだった。この三人に買い上げられるのが果たして吉なのか、はたまた凶なのか、何か落とし穴があるのではないか。

迷いながら怪我人の方を見る。無事に手当てを終えた又次が、野江を見返して、大丈夫だ、と伝える体(てい)で少し顎を引いてみせた。

このひとは信頼できる。野江もまた、微かに頷く。

「あさひ、それで良いね」

摂津屋に水を向けられて、野江は両手を畳についた。

「ひとつ、お願いしとおます」

摂津屋は両隣りと顔を見合わせ、言ってみなさい、と促した。

野江はすっと息を吸い、傍らの又次を眼差(まなざ)しで示す。

「このおひとを翁屋の料理番として置いておくれやす。そないしてくれはったら、私はどないな申し出も喜んで受けさせて頂きます」

始末仕事を仕損じたのだとしたら、もうその花長楼とかいう廓には戻れまい。又次の居場所を作りたい、と野江は望んだのだ。

いきり立つ楼主に対して、それは面白い、と連れの二人が手を打って笑いだした。

「禿を虜にした唐汁というのを、翁屋で食べてみたいものだ」

「喜の字屋の料理にも飽きましたからね。新しい料理番を置く、というのは良い」

いや、しかし、と難色を示す楼主に業を煮やし、摂津屋は両の腿にぱん、と音を立てて手を置いた。

「先刻、楼主は『匿う』と約束された。手当てを終えて逃がすだけでは、最後まで匿ったことにはなりませんよ。それに、こういう男は廓にとって良い用心棒になる」

利点を挙げて野江の望みを推し、摂津屋は翁屋へと腕を伸ばした。相手の分厚い右手を、何故か親指だけ内側に折って握った。身請け銭を提示したことは、野江にもわかる。さらに、楼主の耳もとに、札差は何かを囁いた。

「げぇ」

楼主は後ろに手をついて仰け反り、倒れそうになるのを辛うじて堪えた。

「今日のところは口約束ですが、近々、きちんと証文を交わしましょう。料理番のこと、宜しいかな」

念を押す摂津屋に、翁屋は声も出ない様子で、こくこくと頷いた。

「行列の仕度は、とうに出来ております」

翁屋の番頭が廊下から声をかけた。腰を抜かしている楼主に代わって、摂津屋は、新造の着替えを手伝う者を呼ぶように命じる。

「このままで」

血で汚れた振袖を気にする番頭新造に、野江はそう言って、ずっしりと重い錦の帯を自ら手に取った。金糸銀糸で織りだされた鶴紋の帯を、身に巻きつけて胸高に前で結ぶ。華やいだ帯結びで血痕は巧みに隠され、匂い立つような新造姿に変わった。

よしよし、と満足げに眺めたあと、摂津屋は、挨拶をしようとする野江を制した。

「新造出しを終えたら、もうお前さんが人前に出ることも、仲の町を練り歩くこともない。今後は伝説になるばかりだろう。最初で最後の舞台だ、心して務めておいで」

摂津屋の言葉を受けて、野江は頷く。

翁屋の表には既に、桜色の揃いの装束を身につけた禿と新造とが勢ぞろいして、新たな新造の登場を待っていた。「翁屋　あさひ」と墨書された大きな提灯を手にして、若衆が新造出しの披露目行列の露払いを行う。

「ちょいと御覧な、翁屋の新造だよ」

「あれほどの上玉は、吉原でも滅多と居ねぇ」

春爛漫（らんまん）の陽射しのもと、仲の町を訪れた花見見物の客らは足を止めて、頭上と眼前、双方の花を代わる代わる愛（め）でて、満足の吐息をついた。

「翁屋さん、手柄だねぇ」

挨拶回りで訪れた引手茶屋では、決まってそう声がかけられる。一日限り、一度限りの披露目の儀式は滞（とどこお）りなく済んだ。

この披露目から三月も経（た）たぬうち、翁屋は江戸町一丁目の表通りにあった廓を買い上げ、京町からそちらへと移ることとなった。中堅どころの廓から一気に大見世へと変貌（へんぼう）を遂げたのである。成功の陰に、世にも美しい新造の存在があることは明らかで、吉原中の廓が「あさひ」を抱える翁屋のことを羨んだ。

吉原には珍しく紋日のない水無月初めに、京町二丁目から江戸町一丁目へと引き移りが行われた。廓は見世の大小を問わず、似た造りになっているが、新しい廓は何せ広々としている。遊女らは我先に新宅へと移り、野江が一番最後になった。

荷の大半が運び出され、建具類も取り払われた廓の中を、野江はゆっくりと歩く。

雨が近いのか、表は薄暗くなり、遠雷が聞こえる。

卯吉に売られ、禿としてここで八年を過ごした。少なくとも八年の間、客を取らずに済んだ。ひとは、摂津屋ら豪商に買い上げられた幸運を羨むが、新たな場所では三人と枕を交わし、遊女として生きることになる。

　これから先、どんな人生が待っているのか。

　野江は顔を上げ、唇を引き結んだ。

　生きて、生きて、生き抜く。生きてこの場所を、吉原大門を出て行く。

　板張りを踏んで、土間へ降りようとした時、翁屋の屋号入りの半纏を来た男が、下足棚に一足だけ残っていた野江の履物を取り出して、きちんと揃えて置いた。その横顔を認めて、野江は頰を緩ませる。

　又次だった。

　料理番は終日台所に詰めるため、遊女と顔を合わせることは滅多にない。ましてや口を利くこともない。

「傷はどないだす？」

　野江の問いかけに、又次は黙って頷いた。物言わぬまま、鼻緒に指をかけて広げ、野江が下駄を履くのを手伝う。

　真新しい桐下駄に新造の小さな足が収まると、又次は土間に両の膝をつき、野江を見上げて声を落とした。

「何にも恐れるこたぁ無い。あんたが大門を出る日まで、俺が守る。命に替えてもな」

　それが俺の恩返しだ、と翁屋の料理番は言い添えた。

　一瞬、点滅するように辺りが青白く光り、ばりばりと耳をつんざく雷鳴が轟いた。近くに雷が落ちたのだ。直後、天の底が抜けたのか、と思うほどに激しい雨が降りだして、表通りに水煙を上げた。

　又次は番傘を広げ、野江に差しかける。

　野江には、又次がその言葉通りに、命がけで自分を守るだろうことがわかった。同時に、決してそうさせてはならない、と誓った。

　契れば叶う男女の情、というのではなかった。抜き身の刃の上を歩いて生きてきた者同士、吉原という地獄で巡りあい、互いを生きる理由としたのだった。

　長い長い野江の語りに、辰蔵はじっと聞き入っていた。月影の差す位置が変わり、虫の奏でる音色は一層哀切を誘う。

「又次はその言葉通り、陰に陽に私を守り、しまいには命を落としてしもたんだす」

　吉原の大火で、火の海と化した翁屋から野江を抱きかかえて戻る途中、大怪我を負い、澪に野江を託したところで息絶えた。遺骨も残らなかった。

「澪ちゃんが持ち帰った灰を譲り受け、遺骨として供養してるけんど、何も残らなんだ。又次は、ほんまに、私には何も残さなんだ」

声に悲しみが籠(こも)ることに気付いて、振り払うように口調を違える。

「せやさかい、お前はんが思うてるようなこととは違いますのや」

問わず語りはそんな言葉で締め括られたが、番頭は両の手を拳に握り、懸命に何かに耐えている。

「聞いてくれて、おおきに。こないに遅うまで、済まんことだした」

野江はそれだけを言って、番頭を残し、座敷から縁側へと立った。

大門を出て、あさひ太夫から野江に戻って以後、ここまで詳細に吉原での日々を、ことに又次との出会いを、ひとに話したことはなかった。

――俺が守る。命に替えてもな

京町の翁屋を出る時に聞いた、又次の声が耳に蘇る。

又次、堪忍、堪忍してな。

潤(うる)み始めた瞳を天へと転じれば、悲しみを掬(すく)い上げるように、柄杓(ひしゃく)の形の七つ星が浮かんでいた。

長月に入り、着るものが単衣から袷になった。

とうに肌寒くなっていたので、着物に裏があるのはとても温かい。向かい風に吹かれても、震え上がらずに済むのはありがたい。

北鍋屋町の通りに出たところで、店の前で軒を見上げる友の姿を見つけた。

澪ちゃん、と声をかけると、澪はこちらを向き、野江を認めて笑みを浮かべる。

何を見ていたのか、と同じように軒を見上げれば、板を打ち付けた上に鳥の巣らしきものが載っている。役目を終えて空になっているのを確かめて、野江は問うた。

「燕の巣やろか？」

「そう。今年、初めてここに巣ぅ作って、雛を育てたんよ」

澪はにこやかに応える。

「食べ物を扱う店には不似合いなんやけど、江戸のつる家でも、商売繁盛の証やから、いうて燕を大事にしてたさかい」

来訪の理由も尋ねずに、中へ入って、と澪は野江を店内へと促した。

「朝早うに堪忍」

「ちっとも構わへんよ、丁度、仕込みも終わってるし」

野江のためにお茶を淹れながら、澪は優しく応じた。

台所には煮炊きの湯気が柔らかく立ち込める。みをつくしの昼餉の献立は、小芋の煮つけ、厚揚げと青菜の汁もの、それに鰯の味醂干しを炙って出すようだった。

「特に用はないんだす。ただ、ちょっと澪ちゃんの顔を見たかっただけやの」

野江の返事に澪は軽く目を見張り、一転、破顔した。

「珍しいなぁ、けど、嬉しい」

澪に言われて、野江は仄かに赤面する。その忙しさを思い、用がなければ訪ねることをしていない。言葉にはしないけれど、やはり友への遠慮は常にあった。

「源斉先生はどないしてはるの？　暫くお顔を見てへんのやけど」

お茶を受け取って、野江は聞く。夫婦が暮らす道修町の家は診療所を兼ねるため、それこそ邪魔しないようにしていた。

それが、と澪は下がり眉を曇らせた。

「二日ほど戻ってはらへんの」

言うべきか否か、躊躇う様子を見せたものの、腹を決めた体で、澪は野江の方へ身を傾けて続ける。

「先月、長崎のお知り合いから先生宛てに届いた文に、えらい大変な病が流行ってる、と書いてあったんよ」

突然の下痢（げり）と嘔吐（おうと）で体中の水気という水気が奪い取られ、発病から三日ほどで、皺だらけになって死を迎える。長州萩（ちょうしゅうはぎ）では既に五百人以上が死亡したが、治療法はおろか、原因さえもわからない。

「全く同じ症状の患者さんが、一昨日（おととい）、医塾の方に運び込まれて、先生も泊まり込みで治療にあたってはるの」

その先を澪は決して口にしないけれど、医者である以上、常に患者から病を移される危険はつきものだった。澪がどれほど夫を案じているかが伝わるものの、安易な慰めも口に出来ず、野江は黙って友の手を握った。

「おおきに、野江ちゃん。大事あらへんよ」

洟声（はなごえ）で言って、澪は無理にも笑顔を作る。そない言うたら、と気持ちを切り替えるように明るい声を発した。

「昨日の八つ半（午後三時）頃に、辰蔵さんが見えてねぇ。いきなり、から汁の作り方を教えてくれへんか、て」

から汁、と野江は眉根を寄せた。あの夜以後、二人は商いのほかの話をしていない。否、辰蔵に避けられている、と野江は思っていた。何故、から汁の作り方なのか。

「野江ちゃん、覚えてへんやろか。子どもの頃、淡路屋の賄の唐汁と、私の家のから汁が、まるで違うものみたいで、言い合いになったこと、おましたやろ？」

記憶が途切れているところもある野江のために、澪は懐かしそうに話す。

澪が食べていた「から汁」は、白味噌を用いた味噌汁に油揚げと葱、そしておからを入れたものだ。葱は寒の入りの前夜に屋根に上げて夜露に当てておくと、無病息災が叶う、と澪の母はよく話していた。

一方、淡路屋の賄の唐汁には、葱も白味噌も入らない。油揚げに牛蒡に蒟蒻、おから、そして塩で味を整える。家業が唐高麗物を扱うからか、淡路屋では、「唐」の字を当てていた。

「おからが入れば、どれもおから汁で、『こうでないと』いう決まりごとはあらへんの。子どもの頃はそれがわからんよって、どっちがほんまのから汁か、言い合いになってね」

「せやったねぇ」

大水に呑まれる前の、家族に囲まれて過ごした幼い日々が眼前に蘇るようで、二人は暫し黙った。

澪ちゃん、と野江は友を呼んだ。

「私、家族がほしい」

うん、と友は優しく頷いた。野江はさらに言った。

「奉公人やのうて、家族がほしい」

又次を身代わりにして生き残ったはずが、今、どう生きるか、心もとない。友が居て、奉公人に囲まれていても、どうにも埋められないものがある。

心の奥に秘めていた望みを口にした途端、ふいに涙が溢れ出た。

澪は野江の傍らに移ると、その背中を静かに撫でる。友に背を撫でられながら、これほど人前で泣いたことはない、と思うほどに涙を流し尽くし、野江は瞼を拭った。

「堪忍なぁ、商いの前に」

「まだ大丈夫だす」

澪は言って、表まで野江を送っていく。軒下を通る時に、ふと、足を止めた。

「又次さんなぁ、最後の夏、つる家の軒下の燕の巣を毎日、眺めてはった。親鳥が懸命に餌を運ぶとことか、雛が巣の縁に足をかける姿とか、優しい目ぇして眺めてはったんよ」

在りし日の姿を思い出したのだろう、澪は少し俯いて指で目頭を強く押さえた。

「吉原で生み捨てにされた、て。けど、家族みたいな皆に囲まれて、穏やかに暮らさせてもらった、て燕を見ながら言うてはった」

そんな又次だからこそ、野江の想いをよく理解し、その幸せを心から願うのではないか——言外に、澪はそう伝えていた。

暇を告げて、野江はひとり、帰路を辿る。

秋の高い空を、数羽の燕が縺れ合って飛んでいた。寒くなる前に、群れを成して遠くへ旅立つ。その仕度をしているのだろうか。

澪のところの燕か、あるいはまた、放生会で解き放った燕だろうか、と野江は足を止めて見送った。

若い燕は翼を大きく広げ、風に乗って飛んでいく。

来年、再び無事に戻ってこられるかはわからない。けれど、恐れずにああして羽ばたいていく。おそらく又次も、秋燕のこんな姿を見たかったことだろう。

ええんやろか、家族を作っても。

又次、又次、と野江は心の中で又次を呼んだ。それに応えるように、野江の頭上で一羽の燕が大きく旋回した。

三日は、又次の月忌だった。

摂津屋が大坂に滞在するのも残り僅か、辰蔵と話し合わねばならないのだが、野江はそのきっかけを摑み損ねていた。

夜、常よりも遅くに、辰蔵が奥座敷を訪れた。お盆に湯気の立つ器を載せている。

「こいさん、これを」

下座にきちんと膝を揃えて座ると、辰蔵はすっとお盆を野江の方へと押しやった。行灯の明かりが汁椀の中身を照らす。

自然に野江の口もとが解れ、真珠に似た歯がちらりと覗いた。

白い汁に、ささがき牛蒡と油揚げと蒟蒻。荒く刻んだ青葱が散らしてあった。両手で器を包んで香りを嗅げば、味噌とはまた異なる柔らかな優しい匂いがする。椀に唇をつけて、すっと一口啜れば、程よい塩味がした。

「澪ちゃんから聞きました。お前はん、作り方を尋ねに行ったんやてなぁ」

にこやかに話しながら、野江は箸で具を摘まんだ。牛蒡はささがきにしては分厚すぎ、油揚げと蒟蒻も形が揃っていない。けれど、青葱が加わったことで、色目が美しい。女衆の手を借りず、辰蔵自身が作ったのだ、と知れて、胸の奥まで温まる。

「美味しおます」

野江は辰蔵に晴れやかな笑顔を向けた。

「昔の淡路屋の賄には、葱は入ってへんかったけど、これは緑の色がよう映えて、見た目も綺麗な分、一段と美味しいに思われますなぁ」

おおきになぁ、辰助どん、と礼を言われて、辰蔵は気恥ずかしそうに俯いた。胸のうちに勇気が溜まるのを待つように、番頭は己の膝頭をぐっと摑んだ。

「こいさん、今は主筋の嬢さんと番頭という立場を離れて、お願いがございます」

辰蔵は言って、両の手を畳に移した。

器と箸を置いて、野江も辰蔵と向き合う。

「ご覧の通り、私はひ弱で腕力もない。包丁握ったんも初めてで、何もかも、又次さん言わはるおひとのようには、いかへんのだす。情けのうおますが、到底、敵うはずもおまへん」

僅かに身を震わせて、けんど、と辰蔵は訴える。

「それでも、盾にはなれます。矢ぁやろうが槍やろうが、なんぼ刺されたかて突かれたかて、この身ぃでくい止める。そないして、こいさんをお守りしとおます。せやさかい」

男は畳に額をつけると、せやさかい、と声を絞り出す。

「私と一緒になっとくなはれ、こいさん」

「嫌だす」

即答されて、辰蔵は顔を上げた。血の気が失せて、悲愴な面持ちになっている。

唐汁をお盆ごと脇にやって、野江は辰蔵ににじり寄った。手をきちんと揃え、相手の顔を覗いてその双眸を凝視する。

「盾になんぞ、なってほしいない。第一、守られるばかりの人生は御免だすで。うちがあんたに望むんは、そないなことと違う」

語調が強くなるのに気付いて、野江は気持ちを整え、改めてゆっくりと口を開いた。

「ええことも悪いことも、辛いことも嬉しいことも、ともに味わい、乗り越え、手ぇ携えて生きていく。どないな形で命が果てるかはわからんけれど、それまで互いに慈しみ合うて暮らしたい。それだけだす」

畳に手をつくと、野江は辰蔵に問うた。

「辰蔵さん、この私と一緒になってくれはるか？　家族になってくれはるやろか？」

辰蔵の眼がそれとわかるほど潤んでいる。戦慄く唇を引き結び、辰蔵は掠れた声で、へぇ、と短く答えた。

目もとを仄かに染めて、野江はお盆を引き寄せる。

椀の中の唐汁は、残り僅かになっていた。

「辰蔵さん、ひとつ、頼みがおます」

「何なりと言うとくれやす」

真摯な眼差しを野江に向けて、辰蔵は野江の方へ身を傾けた。

「唐汁、お代わりをもろてもええやろか」

「えっ」

思いがけない申し出だったのだろう、辰蔵は眼を見張り、肩を引いている。

その姿に、ふふっと野江が笑った。ふふふ、と笑い声が続くのを受けて、辰蔵も双眸を緩めた。

すぐにお持ちします、と辰蔵は座敷を飛び出す。その背中に、野江は声をかけた。

「お前はんの分も持ってきなはれ。あと、粉山椒も」

事の成り行きは、常に沈着冷静な辰蔵をよほど慌(あわ)てさせたらしい。残されたままのお盆と汁椀を、野江は和やかに眺めた。

勿体ないしなぁ、と椀の底に残った汁を静かに干す。幼い日の味と吉原での味、どちらともまた少し違う、明日の味がした。

月の船を漕（こ）ぐ

——病知らず

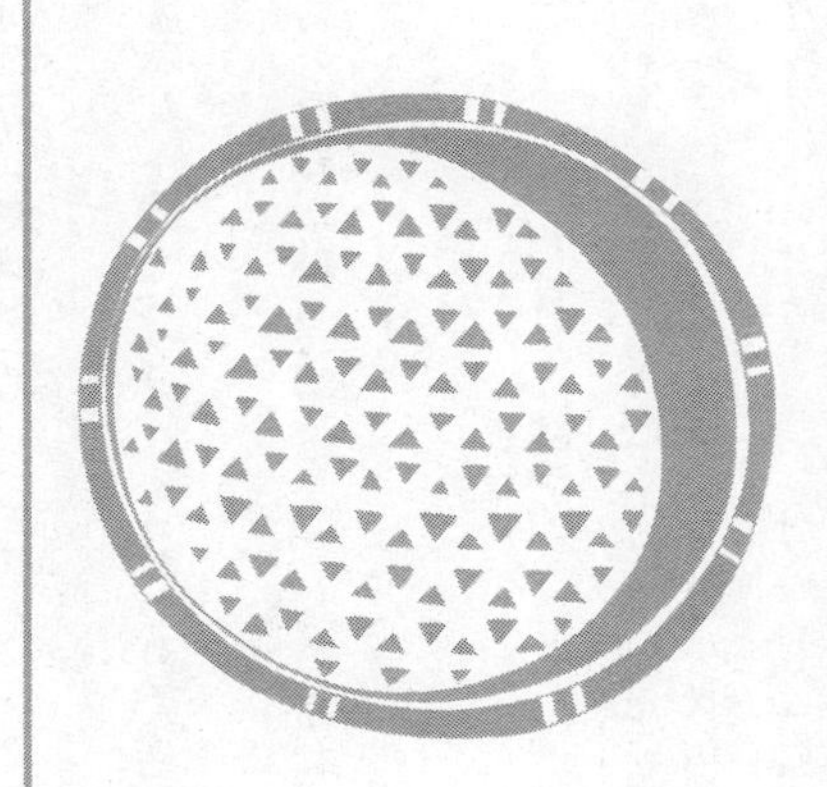

小雪を前に、吐く息は既にうっすらと白い。陽射しでもあれば救われるが、鉛色の分厚い雲が垂れ込めて、一筋の光さえも通さなかった。

「何や、ここも休みかいな」

長屋建ての東の端、吊り看板に「みをつくし」と記された店の前で、今朝からそんな嘆きの声が続いていた。

表には、店を休む旨を墨書した紙が貼られている。諦めきれずに裏へ回って引戸を叩く者も居たが、無駄だった。

この店ばかりではない。

商いの街であるはずの大坂三郷で、長月半ば頃からこちら、櫛の歯が欠けるように、戸口に板を打ち付けた店や、暖簾を終ったままの店が目立つ。

常ならば「行って参じます」「お早うお帰り」との遣り取りが何処でも聞かれたはずが、まるで覇気がない。曇天のせいばかりではなく、街全体が暗く沈んで見えた。全て、長月にこの街を恐ろしい疫病が襲ったがゆえであった。

症状は激しい嘔吐（おうと）と下痢（げり）で、熱が出ることはない。吐いたり下したりは、さほど珍しい病状ではないのだが、いかんせん、度を越していた。米のとぎ汁状の便が際限なく排出されて、身体中（からだじゅう）の水気を奪ってしまう。その総量は時に身体の重さの倍にも及ぶ。眼（め）は落ち窪（くぼ）み、頬（ほお）はこけ、特有の顔つきになり、三日と持たず亡くなるのだ。一番最初に誰（だれ）が、何処で、その病を発症したのかはわからない。けれど、二月（ふたつき）前の葉月（はづき）半ば、ほんの十日ほどの間に、長州萩（ちょうしゅうはぎ）にて五百八十三名の命がその疫病によって奪い去られた。長崎、熊本、広島でも多数の死者を出し、ここ大坂でも、長月十三日、十四日のたった二日間で百三十四人が亡くなり、そのあとも死者は増え続けた。亡骸（なきがら）を荼毘（だび）に付すための火屋（ひや）には、早桶（はやおけ）が列をなした。

初めて日本を襲ったこの疫病は、対馬（つしま）で「見急」、豊後（ぶんご）で「鉄砲」、安芸（あき）では「横病」、そして、大坂では、三日のうちに呆気（あっけ）なく亡くなることから「三日ころり」と呼ばれた。

それまで見聞きしたこともない正体不明の疫病に、人々はなす術（すべ）もなかった。

「せやさかい、何遍も言うてますやろ」

新しい家主は、煙草盆（たばこぼん）に苛々（いらいら）と煙管（きせる）を打ち付ける。

「四軒のうち、ほかは全員、今月中に出て行く話がついてますのや。いくら端の店やぁ言うたかて、あんさんとこに出て行ってもらわな、『ここが欲しい』て言うてくれはった相手との売買の約束も反故にされてしまう」

「けど、そない急に言われたかて」

畳に置いた手に力を込めて、澪は前へと身を乗りだした。

「亡うならはった前の家主の庄蔵さんは、『何時までもここで美味しい料理を作っとくなはれ』て言うてくれはりました。どうぞ、考え直しておくれやす」

この通りだす、と澪は畳に額を擦り付けた。

北鍋屋町の表通りに面した五軒続きの長屋建て、その丁度真ん中が家主の自宅で、澪の店みをつくしは東寄りの端にある。

家主が代替わりした途端、売買の話が持ち上がった。店子を一掃することが条件とのことで、今月初めに明け渡しを命じられた。だが、この場所で四年、みをつくしの暖簾を守ってきた。突然、出て行け、と言われても戸惑うばかりだ。何とか思い止まってもらおう、と今日もまた話し合いのために、家主のもとを訪れた澪であった。

目の前にいる男の父親、つまり前の家主の庄蔵は、源斉が大坂に移り住んだ当初からの患者だった。その縁で、家を借りてみをつくしを開いたという経緯がある。また、庄蔵自身も澪の料理を大層好み、昼餉時になると、よく食事を取りに訪れていた。

自分の父親のことが話題に出た途端、家主は頰を強張らせる。険しい顔つきのまま、男は視線を仏壇へと向けた。

仏壇の前に台が置かれ、そこに白木の位牌が据えられて、線香の煙が薄く棚引いている。白木の位牌は、四十九日の忌明けもまだであることの証だった。

「親父は、五十を過ぎたとこやった」

男の声に、無念が滲む。

「まさか、こない急に亡うなるとは……。あないに『源斉先生』『源斉先生』て慕うてたはずが、可哀そうに、助けてももらえんと」

「それは……」

澪は言葉に詰まり、俯くしかなかった。

罹患したものの症状が軽く済んだ者もごく数名いたが、源斉が診た患者は誰一人として助からなかった。

逃げるように暇を請い、外へ出る。風で吹き寄せられた赤や黄の落ち葉を踏み、同じ長屋にある端の店へと向かった。

――澪さんは、先生の前では江戸の言葉を使わはりますのやな。ええことだすなぁ先代家主、庄蔵の福々しい笑顔が、その柔らかな物言いとともに思い出される。

――江戸で生まれ育たはったおかたが、何もかも勝手の違う大坂で暮らさはるのや。そら大変だすやろ。家に帰った時に、おくにの言葉で遣り取り出来るんは、宜しいな

初めて会った時に掛けられた温かな言葉は、今なお胸に残っていた。

思えば、庄蔵には本当によくしてもらった。

大坂の貸家は「裸貸し」と言って、畳や建具、天井板から上がり框に至るまで、借り手が用意する決まりだった。それでも勝手口を作ったり、軒下に干場を作ったり、という大きな変更は、家主があまり良い顔をしない。

元飯田町のつる家を真似た店の造作にしたい、と澪が望んだ時、庄蔵は、

「宜しおます。思う通りにしなはれ」

と、快く許してくれたのだ。

今、店の表に立てば、「みをつくし」の文字を染め抜いた暖簾を初めて掲げた時の誇らしさが蘇る。同時に、この四年の歳月が思い起こされた。

大坂には昔から料理屋が多く、気楽な煮売り屋から、「浮瀬」ほどの有名な店まで、様々な店がある。商談に用いられる料理屋を除けば、概して安くて美味い。一杯十六文の饂飩から、箱寿司が五十文前後、鰻の蒲焼は少々値が張って、銀二匁ほど。汁物

だけを呑ませる、手軽な屋台見世などもあった。

　そうした状況のもとでみをつくしを開いたのだから、当然、最初から順調とはいかなかった。お客が庄蔵だけ、という日もあった。それでも、手を抜かない丁寧な料理を心がけるうちに、一人、また一人、と常客が増えた。今では結構な繁盛店になったのだ。

　二年前に、庄蔵の口利きでお峰という無口な四十女を雇い入れ、お運びと洗い場を手伝ってもらっていたが、いよいよ手が足りなくなった。どうしようか、と思っていた矢先の今回の出来事である。

　突然、父を喪った息子の無念も、澪に当たるしかない悲しみの深さも、充分に慮れた。疫病の禍々しい記憶の残るこの長屋を手放してしまいたい、との気持ちも忖度できる。けれども、澪にしてみれば、漸く持てた念願の店でもあり、ここを離れるなど、考えたこともなかった。澪の作る料理の味を好み、通ってくれるお客も居る。何とかして店を続けさせてもらうには、どうすれば良いのだろうか。

　夫に、と思いかけて、澪は首を左右に振った。相談など出来るはずもない。夫の源斉は、今、それどころではないのだ。

　今日の休みを詫びる貼り紙に手をかけて、澪は躊躇った。

明日は店を開けるつもりでいたけれど、家主から立ち退きを迫られながら商いを続けては、その気持ちを逆なでしかねない。穏便に話し合いを進めるためには、今少し休んだ方が良いかも知れない。

仕入れ先やお峰に事情を伝えなければ、と澪は剝がしかけた紙を撫でつける。

店名の「みをつくし」は、つる家の常客で、著名な戯作者の名付けだった。いずれ、その人物も江戸からここを訪ねてくるだろう。もしも、その時に店が無かったら……。心に浮かんだ悪い考えを無理にも追い払って、澪は大きく息を吐いた。

店から北へ歩けば、二つ目の通りはもう道修町だ。薬種商の建ち並ぶ一角に、澪と夫の源斉の住まう二階家があった。

「先生、ただ今もどりました」

格子戸の奥は真っ暗で、夫の不在はわかっていたが、澪は声をかけて戸を開けた。

一階は夫の診療所を兼ねているが、やはり患者も居らず、源斉の姿もなかった。奥の台所へ移って、行灯を点し、かんてき（七輪）に火を熾す。鉄鍋をかけて、茸をざくざくと刻み、洗った冷ご飯とだし汁とで雑炊を作った。寒々しい室内が、煮炊きの湯気で満たされていく。

ひと働きして、台所から広々とした座敷に上がると、澪は急に疲れを覚えて座り込んだ。百味簞笥や薬種の詰まった行李が整然と並ぶ室内、傍らに積み上げられた医書が、今にも崩れそうになっている。気になって手に取り、とんとん、と揃えて置き直した。

澪の夫、源斉は江戸の生まれ育ちで、父は御典医、永田陶斉である。父と同じ道を選ぶことをせず、永田家とは絶縁して大坂に移り住んで、中之島の医塾で門弟に医学を教えている。

否、ひとに教えるだけでなく、この場所で診察を行い、求められれば患者の往診にも応じた。医師としての腕が優れているばかりではない、誠実で温和な人柄もあって、患者や門弟からの信頼も厚い。

江戸で町医者をしていた頃、過労で倒れたことがあった。患者の命を助けるために、自身を顧みないところが、女房としては最も気掛かりだった。

今回の疫病事件では、文字通り身を粉にして治療に当たった。それでも、罹患した者を誰一人救うことは出来なかった。

今月に入って漸く疫病神は去ったが、夫は今もなお、己に鞭打つように患者のもとへと走る。何時休むのか、と澪は気が気ではない。しかし、どれほど女房が懇願しても、源斉は「大丈夫です」を繰り返すだけで、改める気配はなかった。

麹ぃぃ、麹ぃぃ、
米麹、えぇ、米麹ぃ
まだ売り切れていないのか、麹売りの物悲しい声が風に乗って切れ切れに届く。売り声に混じって、からからと引戸の開く音がした。

慌てて立ち上がり、入口へと急げば、折りしも夫が提灯の火を吹き消しているところだった。蠟燭の明かりに照らし出された源斉の顔が、一瞬、酷く疲れて見えて、思わず足が竦んだ。

下駄に足を突っ込んだまま動かない女房を認めて、源斉は、澪さん、と名を呼ぶ。

「どうかしましたか？」

問われて、いいえ、と澪は小さく頭を振った。

「お帰りなさいませ、お疲れでしょう」

「今夜はまだ早い方です」

夫は重い薬箱を傍らに置くと、一旦、板敷に腰を掛けた。

「今日、店を休んだそうですね」

患者か門弟が耳に入れたのだろう、源斉は心配そうに澪を見ている。

「何処か具合でも悪いのですか？」

仕事一途の女房が店を休むのはよほどのことだ、と思ったに違いなかった。

ご自分の方が随分とお疲れなのに、と澪は夫の気遣いを切なく思う。

「そうではないのです。仕入れが思うようにいかなくて」

当たり障りのない偽りだったが、夫はそれ以上は何も言わず、鼻から深く息を吸い込んだ。

「良い匂いだ」

「すぐに仕上げて、二階へ運びますね」

女房の返事に、夫は温かに頷いて立ち上がり、階段へと足を向けた。

台所に取って返すと、澪は玉子を取り出して、割り解した。刻んだ青葱を足して混ぜ、雑炊に加えると一煮立ちさせる。蓋をして、かんてきから外したら、今度は海苔をさっと火取った。

「お待たせしました」

器や杓子、それに鉄鍋ごと折敷に載せて二階座敷に運ぶ。夫はと見ると、羽織も脱がずに横になっていた。

折敷を置き、夫に声を掛けようとして、澪は留まった。

眉間に皺を刻み、苦しげな様子で夫は眠っている。

疫病が去っても、夫はろくに休めていない。疲弊しきっていて当然だった。せめて今夜はこのままゆっくり休んでもらおう。

先生、羽織だけ外しますね、と小声で囁いて、そろりそろりと袖を抜く。夫は微かに呻いたが、目を覚ますことなく寝入っていた。


ぎしぎしと鳴る、あれはべか車が薬種を載せて道修町の表通りを行く音か。

随分と賑やかだ、と夢現に思い、澪ははっと目覚めた。障子の外は薄明るく、朝がそろりと訪れたことを知らしめていた。

隣りに眠っているはずの、夫の姿はない。布団がきちんと畳まれているのを見て、澪はしまった、と飛び起きる。

襦袢に綿入れ半纏だけを羽織り、前を掻き合わせて階下へと急げば、丁度、夫が出かけようとしているところだった。

「先生、済みません。すぐに朝餉の仕度にかかります。少しだけお待ちになってください」

「構いません、昨日の雑炊をもらいました」

美味しかった、と源斉は口もとから純白の歯を零す。

昨夜の残り物でひとり朝餉を取る夫の姿を思い描き、澪はあまりの申し訳なさに、眉を下げた。済みません、と幾度も詫びる女房に、源斉は、

「その形では風邪を引きます」

と、優しく諭して、格子戸をからからと開けた。気になる患者が居て、医塾に行く前に様子を見に寄るのだという。

「澪さん、店のことですが」

源斉は女房を振り返り、迷いつつ口を開く。

「庄蔵さんのあとを継がれた息子さんに、何か言われたのではないですか?」

昨夜の遣り取りを気にかけているのだ、と悟って、澪は強く頭を振った。源斉は黙って妻の様子を見ていたが、静かに表へと出て行った。

夫を格子戸の内側から見送り、台所へ急ぐと、調理台に置かれたままの鉄鍋の木蓋を外した。杓子の跡が残った雑炊を、匙で掬って口に運ぶ。

冷えて固まった糊のようで、この上なく不味い。どれほど良い出汁を引いていようが、下拵えをきちんとしていようが駄目なのだ。世を儚みたくなるほどの味だった。

熱いものは熱く、冷たいものは冷たく——どんな料理も、それに相応しい状態で供

さなければ、台無しになってしまう。

料理人としての大事な心得を固く守り通してきたはずが、夫にこんな代物を食べさせてしまった。その事実が何とも情けなく、やりきれない。

今夜は湯気の立つご馳走を用意しよう。源斉の好きな物をたっぷり作ろう。そう決めて、澪は匙を口に運んだ。


持ち家を持たない庶民にとって、貸家を移ることは決して珍しくはない。

大坂の長屋建ての貸家は、畳の大きさを基に柱と柱の間の長さが決められ、内側の寸法も統一される。そのため、「裸貸し」とはいえ、畳だけでなく障子などの建具類もほぼ同じものが使える。新たな住まいでも、以前の貸家で使っていたものをそのまま流用できるため、引っ越してもさほど不便を覚えない。

ただし、転居の際には、竈や流し、井戸の釣瓶に至るまで全て持ち出し、全く空の状態で家主に部屋を戻さねばならないので、面倒ではあった。

「あら」

今日も家主のもとを訪ねようとしていた澪は、隣家の瀬戸物屋から畳が運び出されるのを認めて、立ち止まった。

「ああ、お隣りの」

中を覗く澪に気付いて、店主が声をかける。

「長うに住むつもりやったけんど、しゃない。もう移りますよって」

商品は既に運び出され、今は品物を並べていた棚が外されている最中だった。隣家同士、別れの挨拶を交わしたあと、店主は澪を気の毒そうに見た。

「うちとこは扱うのが瀬戸物やさかい、店の中も殆ど触ってへん。けんど、あんさんとこは、あちこち手ぇ入れて随分変えはったさかい、大変だすやろ」

痛いところを突かれて、澪は萎れた。ここに留まることが出来ないなら、一日も早く移転先を決め、貸家の内側を元通りの状態に戻さねばならなかった。

「まぁ、お互いに気張りまひょなぁ」

瀬戸物屋に慰められて、澪はその足で家主を訪ねる。だが、やはり、家主の気持ちは変わることはなかった。それどころか、

「頼むさかい、さっさと去んでくれんか。この家で、三日三晩苦しんで亡うなった親父のことを思い出すのは、私かてほんまに辛い。一刻も早うに売り払うてしまいたいんや。この通りだす」

と、逆に頭を下げられてしまった。

疫病で突然に父親を失った息子の悲痛が、改めて胸に刺さる。ここで店を続けることばかり考えていたが、もう何も言えないし、言うべきではない、と澪は思った。

ああ、また。

すれ違う親子連れが、張り子の虎を手にしているのを見て、澪は何とも胸が詰まる。大坂の街が先月、三日ころりに襲われた時、誰もがどうにかしてこの災禍を乗り越えようと懸命になった。道修町の薬種仲間は病除けの丸薬を作り、張り子の虎をお守りとして添えて配った。ころりが去ったあとも、ああして、病除けとして張り子の虎を持つ老若男女は多い。

もう二度と、ころりで奪われる命がないように、とあの張り子の虎を見る度に、澪は神仏に祈らずにはいられなかった。

道修町四丁目の通りに差しかかった時、澪は自宅の前に総髪の男が二人、立っているのを認めた。夫の同僚が訪ねて来たのだろうか、と澪は小走りになる。

「ああ、お戻りにならはった」

若い方が澪に気付いて、声を上げた。もう一人もこちらを振り返った。

両人ともに見覚えがある。源斉の門弟、一学と貞丈に違いなかった。夫と医塾に居るはずの二人が何故、と澪は心がざわつく。良い知らせとは思えない。

若年の門弟、一学が早口で告げた。

「源斉先生が講義中に『具合が悪い』と言わはって」

「先生はどちらに」

相手に摑みかからんばかりの勢いで、澪は問い質した。ころりは去ったはずではなかったのか。恐れているのはただその一点だった。

「落ち着いとくれやす」

澪の不安を察して、年配の貞丈が割って入る。

「悪い病と違います。お疲れが出はって、足に力が入らんで、立っておられんようにならはったんだす」

戸板に乗せて運んできた、と聞かされて、澪は家の中へと急ぎ、下駄を脱ぐのももどかしく、土間から座敷へと駆け上がった。

とん、とん、とん、と時の太鼓が深夜の道修町を行く。

普段は気にもならないはずが、その単調な音さえ、夫の眠りを破るようで、澪は気が気でならなかった。

一階は診療の場、二階が夫婦の暮らしの場なのだが、体力の落ちた今の源斉には、階段の上り下りさえ難しい。そのため、一階で療養することとなった。

源斉と交友のある医師仲間たちが代わる代わる様子を尋ねてくれるが、夫は終日、眠り続ける。その眠りは決して深いとは言えず、時折り呻き声を洩らしていた。

今日でもう三日になる。

夫の枕もとに座り、澪は短く息を吐いた。「口から摂るものだけが、人の身体を作る」と常々言っている源斉なのに、この三日の間、口にしたのは、白湯と少々の重湯のみ。少しも食養生にはなっていない。

ううう、と夫はまたしても呻き、掛け布団を撥ね除けた。澪は行灯をずらして、その顔を覗き込む。額に脂汗が浮いている。よほど恐ろしい夢を見ているのだろう。

乾いた手拭いで汗をそっと押さえ、布団を直す。

江戸で暮らしていた頃、疾風と異名を取る疫痢が流行ったことがあった。特に七つまでの子どもは罹患するとひとたまりもなく、多くの幼い命がもぎ取られた。あの時、「ただただ親に臨終を告げるばかりだ」と嘆いていた源斉のことを思い返す。

――病を治せぬ医師など、実に無力なものです

そう言っていた夫の声が耳に残る。

この度、主に九州から大坂までを襲ったのは、疫痢よりもさらに得体の知れない病だった。原因はもちろん、治療法も見つからず、病名さえも定まらない。医師として患者の命を救うことを第一に考える源斉にとって、どれほど辛く長い一か月だったことだろうか。

「ああ」

悲鳴のような声が洩れ、源斉がはっと双眸を開いた。今、自分が何処にいてどうなっているのか、と混乱した様子が見て取れる。

源斉先生、と夫を呼び、澪は布団越しにその身体を撫でた。

「澪さん」

源斉は妻を呼び、布団から片方の手を出す。その手を、澪は両の掌で包み込んで、頰を寄せた。

「同じ夢ばかり、繰り返して見るのです」

掠れた声だった。

「どのような夢でしょう」

女房に問われ、源斉は左の掌を広げて自身の顔を覆う。

「月も無く、星も無い。暗い暗い闇の海で、船を漕いでいる。そんな夢です」

無数の屍の浮かぶ波間に櫂を差し、船を進める夫の姿が浮かぶ。源斉の深い失意と孤独とが表れているようで、澪は掛けるべき言葉を見つけられなかった。

多くの患者と、その家族から「助けて」と縋られたことだろう。なす術もなく、その命の灯が絶えるのを見守るしかなかったとしたら、どれほど辛いことか。

――あないに「源斉先生」「源斉先生」て慕うてたはずが、可哀そうに、助けてももらえんと

家主から投げられた台詞がありありと蘇る。これからも、そうした無念を向けられ続けねばならないとしたら、どれほど苦しいか。

澪はそっと夫の手を離し、改めて布団の上からその身体を抱いた。

「暗い暗い闇の海で、船を……」

澪から聞いた言葉を繰り返して、野江は哀しげに目を伏せる。

「そないな夢を繰り返し見なあかんて、源斉先生、どれほどお辛いことやろか」

澪ちゃんもしんどいなぁ、と野江は優しく友を労った。その口もとから鉄漿が覗く。

今月の初めに辰蔵と形ばかりの祝言を挙げ、新妻となった野江だった。辰蔵の人柄もあり、淡路屋の新しい主人として、仲間内でもごく自然に受け容れられた、と聞く。

傍らには、玉子の巻き焼きや蒲鉾など、澪の口に合いそうなお菜を詰めた重箱が置かれていた。源斉が倒れて以来、自分のことには手が回らない澪のために、野江は何くれとなく手を貸してくれる。澪にとって、どれほど心丈夫か知れなかった。

「『みをつくし』のことやけど」

台所の向こう、襖一枚隔てた座敷で眠る病人を気遣って、野江は声を低める。

「どないするか、もう決めたん？」

こっくりと深く、澪は首肯した。

「一旦、暖簾を下ろして休もうと思う。お客さんにはほんまに申し訳ないのやけど」

「止めてしまうわけとは違うんやね？」

野江に念を押され、改めてまた、澪は頷いてみせた。

「先生がお元気にならはったら、新しい場所を探して、必ずお店を再開するつもりです。お客さんにはお待ち頂くしか……」

こんな状態の夫を残して、店を続けることなど到底出来ない。夫が健康を取り戻すまで、傍についていたい。

それに、家主の気持ちを考えれば、これ以上あそこに留まるべきではない。潔く一旦暖簾を下ろし、落ち着いてから新たな場所で店を開こう、と心を決めたのだ。

ただ、出来るだけ早く、とは思うものの、まだ何ら見通しは立たず、何時になるかもわからない。お峰にも暮らしがあるし、次の奉公先を探すように伝えてあった。

「ほな、今の店は、このまま畳んでしまうのん？」

　野江に問われて、澪は左右に首を振った。

「何の挨拶もせんと暖簾を下ろすような真似はしとうはないの。家主さんにお願いして、たとえ一日だけでも商いをさせてもらおう、て思うてます」

　よくよく考えた。

　畳や建具は買い手がつくだろう。器や調理道具はこの家に運んで保管すれば良い。大工に頼んで店の中を元に戻してもらう。全ての手配をして月末に明け渡すまでに、たとえ一日でも良い、余裕を作ろう。その一日で、これまで通ってくれたお客に対して愛顧(あいこ)を感謝し、新たに暖簾を掲げる日までの別れの挨拶をしておきたかった。

「せやねぇ、その方がええねぇ」

　話を聞き終えて、野江はそっと友に手を差し伸べる。

「澪ちゃんがお店へ出る日ぃは、私が先生の看病をさせてもらいまひょ。それにうちの旦那(だん)さんも、淡路屋で手伝えることがあるなら、何でもさせてもらいます、て言うてはった」

遠慮せんと言うてなぁ、と野江は澪の腕を優しく揺さぶった。友の思いやりが沁み、おおきに、と応える声が揺れるのがわかった。

四年間、大事に育んできた店を、自ら無くしてしまうのは心底寂しい。けれど、今はそんな感傷に浸っている場合ではなかった。

「そない言うたら、今朝、摂津屋の旦那さんから文が届いたんよ」

見送られて表へ出た時、野江は澪を振り返った。

大坂まで達した疫病は、箱根の山を越えることなく滅した模様だった。辛くもころりが蔓延する前に江戸へ発った摂津屋から、様子を尋ねる文をもらったのだという。

「澪ちゃんと源斉先生のことも、えらい心配してはった」

「せやったの。くれぐれも宜しゅうにお伝えしてね。たまに、不具合で相手に届かへん時もあるけれど、こういう時の文は、ほんにありがたいねぇ」

江戸と大坂、すぐに駆けつけられる距離ではないから、送り手も受け手も、文があることでどれほど救われるかわからない。

澪自身も、心配しているであろう種市や芳のもとへ、文を書き送ったところだった。

「江戸の永田家――源斉先生のご実家とは、文の遣り取りはしてるの?」

友に聞かれて、ええ、と澪は頷いた。

源斉は形の上では永田家との縁を切っているが、姑のかず枝は折に触れ、優しい文を澪に宛てて寄越していた。

普段は飛脚の幸便を利用し、十日ほどをかけて届けられる文だが、疫病の噂が届いて、相当に案じたに違いない。今月に入ってすぐ、安否を問う文が仕立飛脚によって届けられ、その場で返信を求められた。戻りの分もかず枝が支払い済だった。

「無事なことしかお知らせ出来んかったさかい、今度は、もう少し詳しい便りを書いてお届けするつもりだす。ただ……」

源斉の今の様子を知らせれば、かず枝にどれほど心配をかけるか知れない。

「先生が寝ついてはること、今は伏せておこうと思うてるの」

「せやなぁ、その方がええなぁ」

澪の気持ちを汲んだのだろう、源斉先生に早ぅお元気になってもらいまひょなぁ、と野江は励ますように言った。

源斉の好物は胡瓜なのだが、とうに時季を外れて手に入らない。旬を迎えた里芋、蓮根、銀杏、零余子などは、食の細い時、胸に痞える。働き過ぎて精魂尽きた時には大根や蒟蒻など「こん」の付くものを、と心得るものの、度重なれば飽きてしまう。

自宅の台所で、澪はあれこれと思案を廻らせる。

食べるひとの身体と心を健やかに保つ料理を、と心がけてみをつくしで腕を振るったが、一番身近なひとの食を疎かにしてしまった。悔やんでも悔やみきれない。

白粥に茶碗蒸し、太刀魚の塩焼き、雑魚の山椒煮、茄子の麹漬け。いずれも控えめに装い、膳に並べた。常の煮茶ではなく、茶葉を焙烙で丁寧に焙じておいた。

「源斉先生、夕餉の仕度が出来ました」

襖を開けて、重い膳を枕もとへと運ぶ。辛そうに半身を起こした源斉の肩に、澪はふわりと綿入れを掛けた。

「ありがとう」

源斉は言って箸を取り、粥を二口、三口と食べ進めたが、じきに動きを止めた。湯飲み茶碗を手に取ると、お茶を飲み、ほっと緩やかに息を吐いた。

お茶が一番口に合うのか、再び箸を持つこともなく、ゆっくりと湯飲みを干した。

「済みません、澪さん、せっかくご馳走を拵えてもらったのに、どうしても食欲が出ないのです」

申し訳ない、と詫びる源斉に、澪は頭を振り、お膳を脇へ退けた。

「先生、何か召し上がりたいものがあれば、教えてくださいな」

源斉が横になるのを手伝って、澪は尋ねた。

わからない、と夫は吐息交じりに答える。

「食べたいものが何も浮かばないのです。食い力というのがあるし、食べなければいけない、と重々わかってはいるのですが」

せっかく作ってくれたのに申し訳ないことです、と源斉は詫びる。そして、澪さん、と改まった口調で妻を呼んだ。

「私の世話のためにずっとお店を閉めておくのは良くない。もう体調も随分と落ち着いてきたので、私に構わず店に出てください」

「ありがとうございます」

無理にも明るく、澪は応えた。

「では、明後日(あさって)にはそうさせて頂きます」

淡路屋主人の辰蔵が間に入ってくれて、畳や建具の買い手も見つかった。四年前に手を入れてもらった大工に話もつけた。なるべく早く明け渡すことを家主に伝えて、明後日、一日だけ店を開けることの承諾も得た。

その日を区切りに、一旦、暖簾を下ろすことを、しかし、まだ源斉に伝えられない澪であった。

神無月二十日は「誓文払い」で、大坂商人にとって、目出度い祝いの日であった。

もとは京の習いで、商人が商いの上でついた嘘を払うため、年に一度、京極の冠者殿へ参ったことを起源とする。ここ大坂では、今宮へ詣でたり、商売相手に酒やご馳走を振る舞ったりして、商いの盛んなことを祝う。また、呉服商や古手商が呉服の切り売りや、お買い得の品を店の表に並べて大いに売るので、商人でなくとも楽しみにする者は多い。

「おお」

店の名を染め抜いた空色の暖簾を手にして、澪が表へ出ると、早くも足を止める者が続く。

「何してたんや、今日まで」

「夜逃げでもしたんか、て心配してたんやで」

相済みません、と眉を下げる料理人の横をすり抜けて、暖簾の掛けられるのも待たずに常客らが店の中へと吸い込まれる。

「おいでやすぅ」

お客を迎えるお峰のもっちゃりした（野暮ったい）声が響いていた。

大坂では「ちぬ」と呼ばれる黒鯛の煮付け、零余子と銀杏の素揚げ、菊菜のお浸し。大根と荒く刻んだ油揚げは、汁をたっぷりに装って吸い物代わりに。

澪が北鍋屋町での最後の献立に選んだのは、決して特別なものではなく、この季節には必ず出す料理だった。今日はさらにもう一品、山芋を擂って濃い目の出汁で延ばした小鉢を添える。そのまま食べてよし、炊き立てご飯にかけてとろろ飯としてもよしの逸品だ。

ここ二、三日でまたぐっと寒くなり、熱いものがやたらと恋しい季節になっていた。殆どのお客がまず大ぶりの鉢を両手で包んで、汁を吸い、温もった息を吐く。

「半月ほどご無沙汰やったさかい、余計に思うことかも知れんのやが」

松葉に刺された零余子と銀杏の素揚げを摘まみ上げて、小間物商らしき背負い売りが、溜息交じりに洩らす。

「こないに慰められる飯があるやろか」

さいな（その通り）、と口の周りにとろろを付けた大工が大きく頷いてみせる。

「もっと安うに腹が膨れるもんを出す店も仰山あるが、ここの料理を食うたら、もう他所へは行かれへん」

見知らぬ者同士が、せやなぁ、と眼差しを交わし合った。

「女の料理人いうさかい、初めのうちはよう暖簾を潜らんかったんだす」

「私もだす。今はもう病みつきで。ここ暫くは店が休みやったよって、弱りました」

そんなお客の声に、澪は間仕切り越しに頭を下げた。

手軽な饂飩屋や屋台見世ならば、十六文ほどで空腹を満たせるが、澪はその日の仕入れや料理によって、お代を二十文から三十文としていた。材料の質を落とさず、商いとして成り立つ、それがぎりぎりだった。それでもみをつくしを気に入り、これまで通ってもらえたことが、ありがたくてならなかった。

「ここの長屋、家主が代替わりして、売りに出たて聞いたけんど、この店は大丈夫なんか」

お膳を運んでいるお峰を捉まえて、暦売りらしい白髪頭の男が尋ねた。長屋建てのほかの店が移っていくのを見ていた者も居たのだろう。何人かが動きを止め、耳を欹てた。

「それが……」

どう答えたものか、とお峰は口ごもる。救いを求めるようなお峰の眼差しを受け、澪は前掛けを外して、調理場から座敷へと移った。下座にきちんと座ると、両の手を揃えて畳に置く。

「ご挨拶が遅れましたが、月末を持ちまして、ここを引き払うことになりました。ここでの商いは今日が最後、これまでの皆さまのご愛顧に心より御礼を申し上げます」

「何やて」

先の年寄りが低く唸り、店内に居たお客が一斉に箸を置いた。

「ほな、もう商いを止める、いうんかいな」

皆の不満が噴出する前に、そうやおまへん、と澪は明瞭に声を放った。お客の顔をひとりひとり見て、穏やかな口調に変える。

「移る先をまだ決めかねております。少しお待ち頂くことになりますが、また必ず暖簾をあげますよって、どうぞ堪忍しとくれやす」

料理人の挨拶に、隣り合ったお客同士、視線を交えた。

どうやら暖簾を手放す意思がないことは伝わったらしい。また家主の代替わりに伴う事情も薄々察しが付くのだろう。しゃないな、と再び箸を取り、食事を始める者が殆どだが、中には納得しないお客も居る。

「どれだけ待ったらええのんや」

「店を出す場所もわからいでは、探し切れるもんやないがな」

詰め寄られても、貸家探しもままならない状態の澪には、相手の納得する答えを用意できなかった。

「滅多とお目にかからん女料理人の店、おまけに『みをつくし』いう店の名ぁだけで、そない苦労せんと見つけられますやろ」

一等最初に料理を褒めた背負い売りが取りなすように言えば、それまで黙って食べていた、商家の隠居と思しき風貌の男が、さいな、と首肯してみせた。

「ここでの最後の商いに、誓文払いの日ぃを選ぶ。おまけに、ちぬを献立に載せる。それだけで充分に商いにかける思いが伝わりますがな」

隠居の言葉に、我が意を得たり、とばかりにお峰がこっくりと深く頷いた。

その昔、眼前の湾は「茅渟の海」と呼ばれ、そこで大量に獲れる魚が黒鯛であった。それゆえ、大坂では黒鯛のことを「ちぬ」と呼び、非常に好む。鯛の仲間ではあるが、雑食でどんな餌でも釣れ、不漁ということが滅多にないのもまた、慣れ親しまれる理由だった。

江戸では、赤い色をした真鯛が祝い事に用いられ人気を博する一方で、黒鯛は縁起が悪い、と嫌われる。しかし、大坂商人は、黒は福をもたらす「大黒天」に通じると思うのか、とても尊び、祝いの席でもちぬを口にするのだ。

誓文払いの日に、商いの街で暮らすお客たちに福が訪れるように——そんな料理人の祈りは、お客の胸に確かに届いた。

その日で一旦、暖簾を下ろすと知ったお客の中には、早い夕餉を取りに再び来店する者もあった。そうして暮れ六つ半（午後七時）の店終いまでに、常よりも多くの客を迎えたみをつくしだった。

「ちぬに零余子、銀杏に菊菜、熱々の大根。これからもっと寒うなる時季に、力を付けさせてもろた」

最後の客はそう言って、盆に料理のお代、三十文を置いた。倹しい形の壮年の振り売りだった。澪とお峰に送られて店を去る時、男はしんみりと言った。

「私はこれでも昔は家持ちやった。商いにしくじって、今は振り売りや。正直、生きてるんが嫌になることもあるが、こない旨いもん食うてしもたら、まだまだ生きなしゃないで」

入口に置いていた天秤棒を手に取って、男はしっかりした足取りで帰っていった。

「おおきにありがとうさんでございます。またの御目文字の叶いますように」

闇夜にお客の姿が消えてしまうまで、澪はお峰とともに見送った。

ふたりきりになると、お峰は澪の方に向き直り、きちんと両手を前で揃えた。

「愛想もない、口も重たい私を今日まで使うてくれはって、ほんまにありがとさんだした」

　その声が震えている。

　まるで今生の別れのようだ、と澪は眉を下げ、お峰さん、と呼んだ。

「お店をまた始める時に、手伝うてくださいね。必ず、お声をかけさせてもらいますよって」

　それが何時なのか、今はわからない。今年のうちか、半年後か、あるいは何年もあとなのか。

　年齢を重ねているがゆえに、お互い、先々のことを色々と考えてしまうのだろう。けれど、みをつくしの料理を、心待ちにしてくれる誰かが居る。望みを捨てさえしなければ、拓(ひら)ける道はきっとある。思いを込めて、澪はお峰に伝える。

「お客さんが待っててくれはりますからね」

　澪の言葉に、へぇ、とお峰は涙声で返し、後片付けのために店へと駆け込んだ。

　表の行灯の火を消し、澪は手を伸ばして暖簾を下ろす。空色の暖簾を胸に抱いた時、言いようのない寂寥(せきりよう)が込み上げた。

　ふと、何かに呼ばれた気がして、頭上を仰げば、漆黒の北天に、淡く黄色の星が瞬(また)いていた。

ああ、心星だ、と澪はじっと瞳を凝らす。

ここに居る、ここに居る、と囁くように、心星は淡く光り続けていた。

「ああ、澪さん」

商いを終えて道修町の家に帰った澪を、源斉は布団の上で半身を起こして迎えた。枕もとには、行平鍋や小鉢を載せたお膳が置かれている。家を空ける澪に替わって、野江が用意してくれたものだが、飯茶碗は伏せられたままだった。

女房の眼差しが手つかずの夕餉に向けられているのを気にしたのか、源斉は、

「昼餉をしっかり食べたせいか、まだ入らないのです。寝てばかりだと腹も空きませんから」

と、弁明した。

ものが喉を通らなくなった時、周囲に気を遣わねばならないのは、とても辛い。

澪はお膳を背後へずらして、夫の枕もとを陣取った。

「先生、覚えていらっしゃいますか？」

腕を伸ばして、そっと夫の手を握る。

「料理番付から外れてしまった時、眠ることも食べることも出来ずに、先生やご寮さ

ん、それにつる家の皆にとても心配をかけてしまったことがありました」

正しくは、想い人と添うか、料理の道で生きるか、迷いに迷った頃から食欲が消え失せた。やがて、番付から外れる恐怖で、少しずつ壊れてしまったのだ。

覚えています、と源斉は静かに頷いた。澪は握る手にそっと力を込める。

「先生、どうか決して焦らずにいらしてくださいませ。ゆっくり、ゆっくりで構いません。無理をせず、お口に合うものだけを召し上がれば良いのです」

「ありがとう、澪さん」

源斉は言って、そっと女房の手を外した。薄暗い行灯の火が、源斉のこけた頬を照らしている。すーっと鼻から息を吸うと、源斉は改めて澪を見た。

「野江さんから事情を聞きました。今日で店終いだったのですね」

ええ、と澪は頷いた。

「つい、言いそびれてしまいました」

「辛い思いをさせてしまった」

庄蔵を疫病から救えなかった。それが廻り廻って、たとえ一時でも、女房に店の暖簾を下ろさせ、料理人としての立場を離れさせることになってしまった。そんな源斉の悔いが垣間見えて、澪は切なくなる。

先生、と澪は唇に人差し指をかけ、下の歯を覗かせた。鉄漿を施さない、真っ白な歯だ。

「料理人は料理の味わいが変わらない方が良い。鉄漿はせずとも構わない。四年前、祝言を挙げた夜にそう仰ってくださいました。それがどれほどありがたかったことでしょうか」

医師の女房でありながら、その世話も焼かずに料理屋を切り盛りする。四年経っても子宝に恵まれない理由をそこに求めて、あしざまに言う者もある。

だが、源斉自身は一切気にせず、澪が料理人としての道を全う出来るよう、あらゆる尽力を惜しまなかった。

「先生がいらしてくださればこそ、私は料理人として今日まで過ごしてこられたのです。それなのに……」

こんな状態になるまで、夫に対して何もせずにいた。最も大事にすべき相手のことを、疎かにしてしまった。

綿入れを広げて、夫の肩に羽織らせる。薄くなった胸板を優しく撫で、

「どうか、暫くの間は先生だけの料理人で居させてくださいませ」

と、澪は結んだ。

今年の神無月は、小の月。

大工が仕事を急いでくれたことや、辰蔵の手助けもあり、月末まで二日を残して、明け渡しの準備は整った。澪は最後に家主に会い、生前の庄蔵の厚情に感謝し、改めてお悔やみを伝えた。家主は無言を通したまま、それでも懇篤な一礼を返した。

ころりは去ったが、大坂の街にもひとの心にも大きな傷を残したことを思い、北鍋屋町を後にする。明日からは、もうここを通ることもない。当分は夫だけの料理人として生きるのだ、と自身に言い聞かせる。木枯らしが吹きつけて肌を刺し、澪は両の腕を交互に摩った。

源斉が倒れて二十日近くが経ったが、相変わらず眠りは浅く、食も細い。医師仲間のうちで、「浪華医師見立」という番付表に載るほどの名医たちが、源斉を案じて往診をし、「充分な療養が必要だから」と未だ復帰を許さない。その養生を支えるべく、源斉受け持ちの患者を分担して引き受けてくれていた。門弟の一学と貞丈は交互に顔を見せて、医塾の様子を源斉に話して聞かせた。

そうした周囲の支援があればこそ、安心して夫のための料理作りに専念できるのだが……。

意図せず、小さな溜息が口を突いて出た。

苧環に酒粕汁、親父泣かせ等々、つる家で源斉が好んだ味をお膳に載せたが、やはり殆ど食べてもらえない。ならば、食の楽しみを思い出してもらおう、と何時ぞや大工の親方に供したのと同じ、鯛の粗炊きを出してみた。九つ道具を探しながら食べてもらえたら、と願ったが、駄目だった。

その都度、源斉から詫びられるのが、何ともやるせない。

どうすれば、「食べよう」と思ってもらえるのか。澪は途方に暮れていた。

「つくね、どないだす。丹波のつくねだすで」

道修町へ帰る途中、青物売りに呼び止められて、しげしげと台の上の山の芋を眺めた。試しに手に取れば、ずっしりと重い。良い品だが、随分と値が張った。

店終いの際の献立に山芋を使ったが、この三分の一にも満たない値だった。

ああ、せや、と澪は独り言を口にする。

店での料理に用いるなら、あまりに高価なものは使えない。けれど、夫のために作る料理なら、桁外れの贅沢でない限り、咎められることではなかろう。遣り繰りは得意だし、何より、夫の身体には替えられない。

「つくね、もらいまひょ」

これとこれ、と指さして、澪は懐から小風呂敷を取り出した。

つくね芋は山の芋の一種で、擂り下ろした時に餅の如く粘る。とろろにしても美味しいが、今夜は手をかけて海老真薯にしてみた。残ったつくねは饅頭の生地にして、餡を包んでふっくらと蒸しあげる。

「美味しいですね」

熱の籠らぬ口調で言って、源斉は小ぶりの真薯を口に入れ、何とか呑み込んだ。饅頭は手で半分に割ってみただけだった。

それなら今度は魚で、と目板鰈の煮付け、穴子の牛蒡巻き、真鯛の蕪蒸し、鯉こく、と様々な料理に挑む。少しでも箸を付けてもらいたくて、連日、祈るような思いで台所に立った。ほかにも、おぼろ豆腐に利休寄せ、湯葉の造り等々、手を替え品を替えて試みたが、やはり、源斉は小鳥が餌を啄むほどにしか食べてはくれなかった。

「お口に合うように作ることが出来ずに、申し訳ありません」

「どうしても食べられなくて済みません」

食事の度、お膳に並ぶ料理の顔ぶれは変わるが、二人の口からは同じ台詞が繰り返されていた。

余った料理は、わけを話して一学や貞丈に持ち帰ってもらう。若く食べ盛りの一学、苦学している貞丈に随分と感謝されたが、それはそれでまた、澪にとっては切ないことだった。

深夜、雨の音に、澪はふっと目覚めた。瓦庇を叩いて、激しく雨が降っている。源斉を起こさないように、そっと首を捩じって様子を窺う。瓦灯の弱い明かりが、夫の寝床を照らす。源斉はこちらに背を向けて横になっていた。

眠れていないのだろう、時折り、溜息が洩れる。夫の溜息が移りそうになって、澪はぐっと唇を引き結んだ。

――食べる、というのは本来は快いものなんですよ。快いから楽しい、だからこそ、食べて美味しいと思うし、身にも付くんです

りうの言葉が耳の底に残っている。麻疹後の太一がものを食べなくなった時に、無理にも食べさせようとした澪を戒めた台詞だ。

夫の口もとに匙を押し付けるような真似は、決してしていない。けれど、と澪はじっと息を詰めて考える。

食事の大切さを知るからこそ、口に入れたものを無理にも呑み込んでいる。けれども、今の源斉にとって、食べることは決して快いものではない。

ならば、自分はどうだろう。料理することを快い、と思えているのか。楽しい、と思えているのだろうか。答えは明白だった。

朝、店の調理場で献立を決める時の醍醐味、下拵えから始まり器に装うまでの高揚、お客の美味しそうな顔を見る至福。

料理人ならではの数々の喜びは、何時しか、何処かへ消え去っていた。作り手のそうした気持ちは自然に料理に表れて、食べる側にも伝わるに違いない。

片や、食べてもらえぬ料理を作り続け、片や、食べられない料理を供され続ける。作る側も食べる側もそれが務めとなり、それぞれが追い詰められている。

夫の背中が寒々と見え、澪は起きだして、その布団を掛け直した。気付いているはずが、源斉は身じろぎひとつしない。澪は布団に戻り、夫に背を向けて目を閉じる。

背中合わせで休む二人の空虚を埋めるように、格子戸から雨の匂いが忍んできた。

「それは辛ぅおますなぁ」

話を聞き終えた野江は、痛ましそうに友を見た。

しんと静まり返った淡路屋の奥座敷で、長火鉢にかけられた鉄瓶が、しゅんしゅんと上機嫌に歌っている。

「ころりで亡うなった人の大半は、四十九日の忌明けを迎えてはる。悲しみが癒えるわけでは勿論ないやろけど、源斉先生もそろそろ床上げか、て勝手に思うてました」

野江の言葉に、澪は吐息で応えた。

ひと月近くの養生が効いて、源斉は日中、本を読んで過ごせるようになった。だが、相変わらず眠りは浅く、食も細い。

「白粥とお茶だけは喉を通らはるさかい、なんぼかましにはなったんよ。ただ、何とのぅ、先生ご自身が、良うなりたい、早う医師の務めに戻りたい、と思うてはらへんような気ぃがしてねぇ」

事情を知らない患者が、診療所を訪ねてくることが幾度かあった。相手が急を要する容態ではないにせよ、澪の知る源斉ならば、決して診察を断ったりしない。だが、夫は別の医師を紹介して、自身で脈を取ることもなかったのだ。

「それは……」

翁屋に居た頃から源斉をよく知る野江もまた、眉間に深い皺を刻み、声を失した。

暫し物思いに耽る二人だったが、ふと、障子の向こうに何か気配を覚え、揃って顔を上げた。野江がすっと立って、少し障子を開ける。

澪ちゃん、と野江は友の名を呼び、外を示した。何時の間にか牡丹雪が降りだして、瞬く間に前栽一面に真綿を敷き詰める。二人して縁側の際まで進み、初雪を眺めた。

雪が全ての音を奪い去り、二人の息遣いのほかは何も聞こえない。

「月も無く、星も無い。暗い暗い闇の海で、船を漕いでいる……」

野江の低い声に、澪ははっと面を上げ、その美しい横顔を凝視する。源斉がよく見る、と話していた夢のことだった。

「患者の命を救うことを一番大事に考えてはるひとが、ころりで誰ひとり救えんかった。源斉先生の失望は、私らが思うより、もっと根ぇが深いんと違うやろか。奈落の底の、まだ底に居てはるんと違うか」

野江の言葉に、澪は深く項垂れる。

夫の抱える苦しみを、女房として理解しているつもりだったが、果たして本当にそうか。夫を支える気持ちに偽りはなくとも、何時しか、料理人としての意地が勝るようになっていたのではないのか。

悔いが、胸の底をじりじりと焼く。

友の煩悶を宥めるように、野江はその背中を優しく撫でた。

「性質は違うやろけど、私も、奈落の底の底を味おうたことがおます」

純白の雪に今一度目を遣って、平らかに、静かに、野江は打ち明ける。

「水害で天涯孤独になったことや、騙されて吉原へ売られたことが『奈落の底』なら、そこから逃げるんが叶わん、と知った時こそが『奈落の底の底』やった。そんな私を救ってくれたんは、又次の作ってくれた唐汁だした」

唐汁、と小さく繰り返す澪に、せや、唐汁だすのや、と野江は頷いた。

「記憶を失うたはずが、この舌が唐汁を覚えてたんだす。又次は、禿の私に『生きて生きて、生き抜くことだけ考えろ』言うて、熱い熱い唐汁をご馳走してくれはった」

いつぞや辰蔵が唐汁の作り方を尋ねに来たのは、野江が辰蔵と夫婦になるのを決意したのは、根底にそうした経緯があったからか、と澪は初めて思い至った。

降りしきる雪から澪へと視線を戻して、野江は続ける。

「奈落の底の底にかて、届く光はおますのや。傍から見たら、何でもないようなことかて、それがきっかけで、浮かび上がることが出来るんだす、あの頃の私のように」

澪ならそのきっかけを作ることが出来るはず――言葉にせずとも、野江の気持ちは充分に伝わった。

「澪さん、どうぞ傘をお持ちください」

暇を告げて、淡路屋を出ようとした時、辰蔵が追いかけてきて傘を差しだした。

雪は勢いを削いだものの、まだ降り続いている。おおきに、お借りします、と受け取って、澪は辰蔵を見上げた。

婿養子として淡路屋に入り、店主になったが、腰の低さ、謙虚さは少しも変わらない。野江ちゃん、良かった、と澪は改めて思う。

「辰蔵さん、みをつくしのことでは、色々とお世話になりました」

ほんまに助かりました、と澪は丁寧に頭を下げる。

上背のある辰蔵は、背を丸めて礼を返し、

「新しいお店に相応しい出物はないか、気ぃつけておきますよって、澪さんは安心して、源斉先生のお傍についてておくなはれ」

と、親身になった。

雪花舞う中を、ひとり帰路に就く。

奈落の底の底、との野江の言葉を、澪は思い返していた。小松原と別れ、料理番付からも転落し、眠れず食べられず、という状態に陥った澪に、源斉はこう話した。

――目の前の患者を病から救うこと、それこそが医師の本分です。医師としての真の喜びは、本分を全うすることでしか得られません
ああ、と澪は呻いた。

あの頃の自分の奈落は、料理人としての本分とは一切、関わりがなかった。だから

こそ、源斉の台詞に襟を正され、立ち直るきっかけに出来た。

だが、源斉の奈落は、まさに医師としての本分に関わるものだ。底の底とは、まさにこのことだ。それを正しく理解せずに、今日まで過ごしてしまった。

闇の海を行く船は何処へ向かうのだろう。絶望の淵をただ廻るばかりなのか。否、何かある。きっとその淵から脱するきっかけになるものが、何かあるはずだ。

「さのさ、さのさ」

ざっざっざっと積雪を蹴散らす足音が背後から迫り、澪の脇を抜け、前を行く。笠に雪を載せ、状箱を肩に担ぎ、合羽を翻して走る姿を見れば、飛脚と知れた。飛脚は道修町通りの四丁目に差し掛かると、足を止め、薬種商の丁稚に何か尋ねた。

もしや、との予感が澪にはあった。

姑のかず枝に、源斉が臥せっていることは隠して、近況を知らせる文を並便で送ったのは、ひと月ほど前だった。

診療所の方を指さした丁稚は、通りの中ほどで傘を傾げこちらを見ている澪に気付く。あ、あのおかただす、との甲高い声が聞こえて、澪は傘を閉じて駆けだした。

「母上から文が？」

一階の座敷で読書をしていた源斉は、首を捩じって女房の方を見やった。熱心に読んでいるのは、「本朝醫談」という真新しい書で、今朝、貞丈が置いていったものだ。

「ええ、今、届きました」

澪は応えて、上下を折った包み状を示す。表に大きく、澪の名が書かれていた。母親が嫁に宛てて文を送るのは、さほど珍しくはないためか、源斉は「そうですか」と淡々と応じて読書に戻る。

「着替えてから、お茶を淹れますね」

澪は分厚い文を大切に懐に仕舞って、夫の背中に声をかけた。

「構いません」

夫の声が僅かに尖っていた。本人もそれに気付いたのだろう、取り繕うように、

「今はこの本を読んでいたいのです。お茶は要らないので、澪さんも二階でゆっくり過ごしてください」

と、言い直した。

二階の座敷に移れば、火の気のない室内は底冷えがして、吐く息までが凍った。文机の前に座り、両の掌を擦り合わせ、息を吹きかけて暖を取る。指先の強張りが解けてから、文を取り出した。

手にした時の文の重さと分厚さが、気になっていた。

常の便りは、四季の挨拶に加えて、永田家の近況、それに息子夫婦の暮らしを問う内容で、切紙二枚、多くても三枚を繋げた長さで収まるものだ。

こちらから送った文は、疫病の後の大坂の様子と、源斉の子どもの頃の好物を尋ねる、至極当たり障りのない内容で、かず枝に心配をかけるものではない。何だろう、と包みを外し、折り畳まれた文を端からゆっくりと伸ばして、順に読み始めた。


障子に暮雪の影が斜めに映り込んでいる。六つ（午後六時）を知らせる鐘はまだだが、薄闇は迫り、手もとが少しずつ暗くなっていた。

江戸から届いた文を、澪は繰り返し、繰り返し読む。そこに綴られたかず枝の想いを、一文字たりとも見逃すまいとして、幾度となく読み込んだあと、手紙をそっと胸に押し当てた。

源斉の子どもの頃の好物を尋ねた澪の文を読み、その背後に横たわる事情を正しく察したに違いない。幸便の中でも六日で届くものを選び、返事を寄越した姑だった。

源斉は昔から、永田家で仕込む味噌を好んだ、とのこと。米麹をたっぷりと用いた味噌は滋養があり、優しい味がする。子どもの頃は、病中、病後、食の細い時でも、味噌汁だけは欠かさなかったという。

出来れば届けてやりたいが、江戸味噌は日持ちがしない。しかし、材料は普通の味噌と変わらず、そちらでも容易に入手できるものばかりだ。また、作り方とてさして難しくはない。澪ならばきっと作れるだろう、と詳細な作り方とこつとが丁寧に認められていた。

源斉は大事ないのか、どんな状況なのか、嫁に問い質したい気持ちで一杯だろうに、それをせず、ただ味噌の作り方を知らせてくれたのだ。そこには、「あなたを信じているから、しっかりおやりなさい」との激励が垣間見える。

身分の違いもあり、これまで何処か遠く、畏敬の念を持って眺めていたひとだった。しかし、味噌の作り方について綴られているのを読めば、何もかもを奉公人に任せているのではないことがよくわかる。

澪は手紙を胸に抱いたまま、深く深く首を垂れた。

大きな思い違いをしていた。源斉の女房としても、それに料理人としても、根本から間違っていた。

口から摂るものだけが、人の身体を作る――それが医師としての、そして料理人としての、確信に違いなかった。自信を失い、道標を見失った時、どんなものを口から摂るべきか、もっともっと考えねばならなかった。

海老真薯、薯蕷饅頭、目板鰈の煮付け、穴子の牛蒡巻き、真鯛の蕪蒸し、鯉こく、等々。自身が調理し、夫に出し続けた料理の数々を思い起こして、澪は項垂れた。

灯点し頃、階下で火打石を使う、かちかち、という音がする。読書のために、明かりが要るのだ。医療を遠ざけていたはずの源斉が、今、寸暇を惜しみ、医書を読んでいる。

夫の気配に耳を傾けて、澪は思う。

間に合うだろうか。

姑からの文を胸から外し、雪明かりのもと、澪は今一度、かず枝の文字を追う。

間に合わせます、きっと。

胸のうちで、かず枝に向けて繰り返した。

大坂も江戸も、味噌は甘い。ただし、大坂のそれは白味噌、江戸は赤味噌だった。大坂では「買い味噌は家の恥」として、殆どの味噌がその家、その家の手作りだ。江戸でもかつてはそうだったが、今は事情が異なる。永田家のように自家で作るところは随分と少なくなっていた。

例えば塩をたっぷり使う辛口の仙台味噌は、熟成までに年月がかかるが長く保存できる。それに比べて江戸っ子の好む甘い赤味噌は、米麴が多く、塩はとても少ないため、日持ちしない。結果、家で手作りすることなく、味噌屋で要る分だけを買うようになるのだろう。

　つる家で料理を任された時、一番最初に作ったのは白味噌を使った牡蠣(かき)の土手鍋で、お客の評判は散々だった。

　懐かしい、と澪は台所で大豆を洗いながら、知らず知らず微笑(ほほえ)んでいた。

　大坂から江戸へ出て驚くことは多くあったが、出汁と味噌はその筆頭だった。料理の基本は美味しいご飯が炊けることと、美味しいお汁(つゆ)が作れること。それは裏返せば、ひとが一生の間に一番口にするものがご飯と味噌汁、ということになる。

　四年前に江戸から大坂へと移り住んだ源斉は、以後、全く江戸味噌を口にしていない。慣れ親しんだ味から四年も遠ざかっている。

　澪自身は大坂から江戸へ出たその年に、すでにつる家で働いており、種市の温情で白味噌も口にすることが出来ていた。それゆえ、郷里を離れて夫がまず覚えたであろう味噌への思いに、まるで気付かなかった。

　申し訳ない、との気持ちを込めて、澪は大豆を両手で優しく揉(も)むようにして、丁寧に丁寧に泡が立たなくなるまで洗う。火を使わない底冷えのする台所、水仕事で指の先が寒さでじんじんと痛むが、まるで気にならなかった。

かず枝から教わった江戸味噌の作り方は、驚くことが多かった。大坂の白味噌は大豆の皮を外し、よくよく煮る。けれど江戸の赤味噌は、大豆を蒸して、皮ごと用いる。知らないまま過ごしてきたが、面白い。

「面白い」

声に出して、澪は今度は大きく笑った。味噌のことを知れば知るほど、面白くてならない。これから行う作業を思い、わくわくと心が弾む。このところ忘れていた胸の高鳴りだった。

大きな鍋に洗った大豆を移して、たっぷりの水を注ぐ。あとは大豆が水を吸うのを待つしかない。今夜はここまで、と前掛けで濡れた手を拭った。

西の方で恐ろしい病が流行っている――そんな噂を聞いたのは、まだ残暑の厳しい葉月の頃だ。この三月の間、時の流れが恐ろしく遅いように思われたが、その実、あっという間だったのかも知れない。

窓の外を覗けば、純白の積雪が辺りを覆っている。やがて小寒から大寒へと、さらに厳しい寒さが襲うだろう。だが、と澪は思う。

いずれ冬は去り、必ず春を迎える。分厚い雪のその下に、寒中の麦はじっと身を潜め、春を待つのだ、と。

一晩たっぷりと水を吸った大豆は、ぷっくり艶々と膨らみ、倍の重さになった。よしよし、と頷いて、今度はそれを笊にあげて広げ、半刻（約一時間）ほどかけてしっかりと水切りする。

充分に水が切れたら、今度は蒸す作業に入った。勢いよく湯気の上がった蒸籠に笊ごと大豆を入れ、蓋をして二刻（約四時間）。時折り、源斉が台所を覗くのだが、澪はそれにも気付かない。かず枝の文を調理台に広げ、幾度も確かめながら、夢中で作業を進める。

「親指と小指で豆を挟んで、簡単に潰れたら蒸し上がり、と。よし、よし」

蒸し上がったら、「留め釜」と言って、そのまま一昼夜置くように、とある。かず枝の文に依れば、これが良い色に仕上げるこつ、とのこと。指示通りにして、翌朝、そっと中を覗くと、豆の色が濃くなっていた。

「よしよし」

一粒摘まんで口に入れ、澪は満足げに呟く。

大坂で好まれる味噌は、白さが身上ゆえ、豆を煮る時に幾度も水を替えるし、皮も残らず取り除く。それに比して、江戸っ子好みの味噌は、色濃く仕上げるため、皮ごと蒸し上げて、留め釜をするのだ。

長年、料理と携わっていても、初めて知ることは多い。感心していたその時だった。

麹ぃい、麹ぃい、

米麹、ええ、米麹ぃ

「『待ち人きたる』やわ」

表から麹売りの声が聞こえて、澪はぽん、と両の掌を合わせた。

「毎度おおきに」

澪に呼び止められ、麹売りは土間まで入って天秤棒を肩から外した。天秤棒の前後に八つずつ重ねた浅い木箱には、売り物の米麹が収まっている。

「いっつも仰山買うてくれはって」

初老の麹売りは、麹箱の中身を広口の桶に移し、箱の裏をぱんぱん、と強く叩く。ぽろぽろと、麹が桶の中へ全部落ちた。

米から麹を手作りする者も居るが、相当に厄介なので、麹売りの存在は本当に心強い。麹漬けが流行って秋茄子の時季には売り切れることも多いが、今日は潤沢にあって助かった、と澪はほっとする。

台所に戻って、かず枝の文を目で追いつつ、

「塩切りは丁寧に、と」

と、自身に言い聞かせる。桶の麹に塩を振り入れ、全体を丁寧に混ぜ合わせた。

粒の形を壊さず味噌にする味噌屋もあるが、永田家は大豆をしっかり潰す、とのこと。大豆を蒸し直して温め、潰し易くしたところで玉杓子(たまじゃくし)の底を使ってぎゅうぎゅうと押し潰した。粒の残らぬよう潰してから、塩切りした麹と混ぜていく。

「丁寧に、丁寧に」

文に書かれている通り、「丁寧に」を呪文(じゅもん)のように繰り返す。かず枝が家族のために、自ら味噌を作っていたことに思いを重ねる。

よく混ざったら、丸い玉状に握ってみた。

「柔らかいのは駄目、手で割ってほろり、と」

かず枝の文を声に出して読み上げ、味噌玉を割って固さを確かめた。あとは桶に味噌玉を詰めるばかりだ。

土間の奥に立って、源斉が妻の様子をじっと見守っていることも知らないまま、澪は丁寧に、丁寧に、江戸味噌の仕込みを続けていた。

大坂の白味噌も、江戸の赤味噌も、米麹をたっぷり使う贅沢な味噌で、塩は少ない。食べられるようになるまで長く待たなくて良い代わりに、仕込む時に熱を好む。

かず枝曰く、永田家の江戸味噌は、特に寒がりだ。麹と混ぜる時も、桶に詰めたあとも、ずっと熱を保つようにしてやらねばならない、とのこと。澪は行火の傍に味噌桶を置き、綿入れ半纏と布団を重ねて、二六時中、火のもとに用心しつつ、寒がり屋の面倒をみた。

仕込んでから五日を過ぎた頃から、何とも言えない良い香りが漂い始める。そして十日め、桶の中身を薬指に少しつけて、そっと口に含む。

澪はきゅっと目を細めた。

味噌蔵で何年も寝かされた味噌のような、舌に絡む濃い味ではない。若々しく、あっさりと甘い。ただし、白味噌とは異なり、麹の甘さに加えて大豆の味が立っている。

一瞬、自分の立つ場所が、大坂の道修町ではなく、元飯田町のつる家になった。

お澪坊、こいつぁいけねぇ、と種市の声が聞こえる。りうが、ふきが、おりょうが、間仕切りから顔を覗かせた。

ああ、江戸の味だ。味噌汁に味噌煮に焼き味噌に、と色々な料理に使った江戸の赤味噌だ。六年の間、親しんだ大事なひとと再会を果たしたようで、澪は胸が一杯になった。じわじわと涙が膜を張り始めて、零さないように澪は顔を上げる。

知らなかった、四年の間、口にしなかった江戸の味がここまで懐かしいとは。

澪でさえこうなのだ、江戸で生まれ、齢(よわい)三十一までを過ごした源斉ならどうか。

　食は、人の天なり。

　ずっと心に刻み続けてきた言葉を、澪は思い返す。命を繋ぐ最も大切なもの、それが食なのだ。「美味しい」という味わいだけではない、心身を養い、健やかさを保ってこその食。食べるひとのことを思ってこその、食。

　どれほど材料に拘(こだわ)り、贅沢に走ったところで、心のない料理は「天」とはなり得ない。裏返せば、子どもの頃から親しんだ味、誰かが自分を思って作ってくれた味。そんな記憶に残る味が、病人を病から遠ざけるのだろう。

　食べることが苦痛になってしまった夫の気持ちに寄り添わず、食べてもらえない料理を作り続けることを嘆いていた。そのことが今、恥ずかしくてならない。何と愚かな、と改めて思う。

　この江戸味噌を使って、今度こそ夫の心身を健やかに出来る料理を作ろう。「食は、人の天なり」を守り貫く料理を作ろう。

さぁ、と澪は涙を手の甲で払い、襷をかけてきゅっと結んだ。

寒蜆の味噌汁、吸い口は細かく刻んだ青葱。そして炊き立てご飯。

江戸味噌を用いて、魚を煮込んだり、焼きものに塗ったりしようか、と考えたものの、思案の末に献立から外した。

食べることが務めになってしまった者にとって、膳の上一杯に料理が並ぶことは苦痛でしかない。また、量で圧倒されては箸を持つ気にもなれないだろうから、飯碗も、汁用の椀も、少し小ぶりなものに替えた。

「先生、お昼になさいませんか？」

座敷で熱心に医書を読んでいた源斉は、澪の呼びかけに顔を上げた。

「これは……」

お膳の前に座った源斉は、そこに並んだ二品を眺め、何かを言いかけて口を噤んだ。手を伸ばし、慈しむ手つきで黒い漆塗りの汁椀の蓋を外す。

刹那、器から仄かな湯気が立ち、若々しい味噌の香りが漂った。

椀に顔を寄せ、すーっと源斉は鼻から深く息を吸い込む。ふっとその頬が緩やかに解れた。器に唇をつけて、まずひと啜り。ついで、二口。間を置かず三口。あとは汁椀を傾けて、瞬く間に汁を飲み干した。

澪は両の掌を上に向けて揃え、夫の方へ差し伸べる。女房の意図を読み取り、源斉も黙って汁椀を差しだした。

傍らに置いた鍋から、味噌汁を装い、刻んだ青葱を散らして、夫へと戻す。

今度は箸で蜆を摘まみ上げ、源斉は器用に身を食した。粒の立った温ご飯を口にして、また汁に戻る。言葉はない。けれど、その表情から喜びが伝わった。

「お代わりを頂けますか？」

源斉は言って、空の飯碗を女房に向けた。

澪はにこにことそれを受け取り、お櫃(ひつ)のご飯を装う。

「お汁は如何(いかが)なさいますか？」

「では、遠慮なく」

躊躇(ためら)いなく答えて、源斉は汁椀を手渡した。器の底に蜆の殻が溜(た)まっている。

「お椀を新しいものに替えましょう。それに、少し冷めてしまいましたから、温め直してきますね」

構いません、という源斉に、すぐですから、と断って、澪は鍋を提げて台所へ急いだ。かんてきに鍋をかけた時、いきなり涙が噴きだした。

お代わりを求められることが、こんなに嬉しいとは思わなかった。

涙はあとからあとから溢れ出て、自分でもどうして良いかわからない。かんてきの前に蹲って前掛けで顔を覆い、嗚咽が洩れるのを堪える。味噌汁はほどなく温まり、沸き立つ前に火から外した。

座敷で待つ源斉に気取られてはならない。両眼を精一杯に開いて天井を見上げ、止まれ、止まれ、と涙に命じる。

「お待たせしました」

座敷に戻ると、少し掠れた声で言って、澪は汁椀をお膳に置いた。今度は大ぶりの欅の椀に替えた。

木目の浮いた素朴な椀を、夫は両の掌で包み込む。そして、大事に、大事に江戸味噌の汁を啜っていく。

「美味しかった、息を吹き返した気分です」

食事を終えて膳を脇へ押しやると、源斉は身体ごと澪の方へ向き直った。

「あなたには本当に心配をかけてしまった。苦しめたこと、許してください」

「謝ったりなさらないでくださいな」

澪は畳に手を置いて、夫の方へ身を傾ける。

「私の方こそ考えが足りず、源斉先生を……」

あとは言葉にならず、澪は唇を嚙み締めて俯いた。女房が懸命に涙を堪えているのを悟って、源斉は手を伸ばして柔らかにその両腕を摑んだ。そのまま女房を引き寄せて、そっと胸に抱く。

源斉先生、と澪は低く呼んで、その背中に腕を回した。

大切で大事で、何よりも愛おしい。闇の海を船で行くというのなら、その船に乗せてほしい。そんな想いを込めて、澪は夫を抱き締めた。

半分開けた障子から、蛤の月が覗いている。遅くに出た月は今、丁度東の空高くに差し掛かっていた。

「寒くありませんか」

源斉は澪を抱き寄せ、その肩に布団を着せかける。二人して月を観ていた。

「底冷えのする台所で、江戸味噌作りに挑む澪さんを見て、私はとても大切なことを思い出したのです」

月に目を向けたまま、夫は続ける。

「初めて挑むことであっても、決して臆せず、一心に、丁寧に。そうした心持ちを、私は忘れていました。何時の間にか、臆病に、そして傲慢になっていたのです」

傲慢、と繰り返し、澪は夫を見上げた。その台詞の意図することがわからなかった。

「ころりに襲われた時、医師は無力でした。予め防ぐ方法もわからず、処方する薬も見つけられなかった。患者を誰一人救えなかった。その思いに囚われて、私は自分を見失っていました」

声に哀しみが滲んでいた。けれど、と源斉は語調を改める。

「神仏ではない身、自在に命を救える、と思い込むのは傲慢です。古より、ひとは病との戦いに明け暮れてきたはず。多くの医師の努力が水泡に帰し、それでも少しずつ治せる病が増えたのです。私たちの代では無理でも、次の代、その次の代、と努力が積み重なれば、疫病を克服できる時はきっと来るでしょう」

次の世代へ繋げられるような努力をしようと思います、と自身に言い聞かせるように、源斉は話を結んだ。

丸みを帯びた月は船にも似て、少しずつ位置をずらす。煌々と輝く月に負けて、星影は目立たない。

源斉先生、と澪は夫を呼んだ。

「先生が夢の中で漕いでおられたのは、きっと新月の船です」

新月は自ら輝くことなく、ただひとり夜を行く。闇の海を漕ぎ進めば、月の船は暁に出会う。絶望の淵を抜けて、朝の光の海へ。

源斉は無言で、澪の頬に自分の頬を寄せる。月の船の航海を、二人は飽くことなく見つめていた。

江戸味噌は甘いが豆の味わいが効き、くどくないあっさりとした旨みが身上だった。魚や青物の味を引き立てるので、相性を考えてあれこれ工夫するのが楽しい。

「風呂吹き大根に、鯖の味噌煮ですか。これは美味しそうだ」

幸せそうにお菜に箸を付ける夫の姿を見守り、澪はほっと安堵する。

郷里の味が源斉の食べたい気持ちを呼び覚まして、日に日に元気になっていく。医師としての復帰もさほど遠くはないだろう。

そう言えば、と夫は汁椀から唇を離して、懐かしそうな眼を女房に向けた。

「大坂の昆布出汁と江戸の鰹出汁とを合わせたものが、澪さんの出汁になりましたよね。鰹出汁で育った私も、あれには本当に驚きました」

ええ、と澪もにこやかに頷く。

「ただ、合わせ出汁自体は、昔からあったようです。別の物同士を合わせることで味わいが深ま……」

言葉を途中で止めて、澪は考え込んだ。

江戸味噌は若々しいあっさりした味わい。大坂の白味噌はこっくりと味が濃い。江戸っ子は味噌汁をほぼ毎朝、炊き立ての温ご飯とともに食する。大坂でも「おむしのおつぃ」（味噌汁）はよく膳にのぼるが、決まって毎日というわけではない。ただし、大坂の屋台見世の中には、白味噌の汁を飲ませる「しる屋」があり、日頃は粗食に耐える商家の奉公人らも、たまにここで汁を口にして英気を養った。

あっさりと、こっくり。

「出汁を合わせたように、味噌を合わせたら面白いかも知れませんね」

女房の思考を読み解いたのか、源斉はそう言って身を乗りだした。澪もまた、無我夢中で応える。

「夏は江戸味噌の割合を多くして、あっさりに。冬は逆に白味噌を多く用いて、こっくりした味わいに、というのはどうでしょうか」

大豆に米麹、とどちらの味噌の中にも滋養がたっぷり詰まっている。具を工夫すれば、毎日食しても飽きることがない。

「同じ米味噌でも辛口の仙台味噌、あるいは豆味噌なども試してみましょうか」

澪の考えを聞いて、それは面白い、と源斉はぽん、と膝を打った。

「日々、味噌汁を食すことで身体を健やかに整えることが出来る。まさに、病知らずの身体を作ることが出来るでしょう」

「病知らず……」

夫の言葉を噛み締めて、澪はぱっと満面に笑みを浮かべた。

病に負けない強い身体を作る。日々、何かを口にすることでそれが叶えられたなら、どれほど素晴らしいことだろうか。医師としての望み、料理人としての願い。両方の想いのこもった料理となり得る。

澪さん、と源斉は女房を呼んだ。

「そろそろ診察を再開しようと思います」

もう充分元気になったし、持病の経過が気になる患者も居る。門弟にも迷惑をかけたが、師走朔日には医塾にも戻らせてもらうつもりだ、と源斉は告げた。

痩せていることに変わりはないが、顔色、何より目の輝きが臥せっている頃とはまるで違っていた。

「澪さんも、そろそろ、みをつくしの再開に向けて動かれては如何でしょう。大勢のお客さんが首を長くして待っておられますよ、きっと」

源斉の言葉が、澪の背中を押した。

眺めが良く、船の出入りがあり、旅人の集まる大川沿いの築地。通うのに便利で、前の店にも近い南鍋屋町。芝居小屋が建ち並び、人の出の多い道頓堀。辰蔵が探してくれた貸家の中で、みをつくしの新店に相応しそうなのは、その三か所だった。

「ここはえらい賑やかだすが、少し遠いように思いますなぁ」

淡路屋店主夫婦と澪の三人で貸家を回って、道頓堀の茶屋でひと休みしていた時だ。辰蔵が申し訳なさそうに首を左右に振った。

道頓堀川には屋形船が幾艘も連なり、通りも着飾った老若男女で賑々しい。いずれも顔見世目当ての客だと思われた。

「築地の貸家は中も広いし、窓の外に大川の景色が見えて、綺麗やとは思うけど……」

その先を言わず、野江は、かじかんだ手を湯飲み茶碗で温めている。

幅の狭い川でさえ、増水すれば恐ろしい。ましてや、大川ほどの大河なら……。

黙って頷いて、澪も熱いお茶を啜った。

「そうすると、やはり南鍋屋町の方だすなぁ。あこなら道修町のご自宅にも近おますし、前のお客さんも見つけ易（やす）おますやろ」

辰蔵の言葉に、そうだすなぁ、と澪は頷いた。長屋建ての端から二軒目、店賃（たなちん）も前とほぼ同じ。頃合いだろう、と思っていた。

せやねぇ、と野江も澪に柔らかな眼差しを向ける。

「新しい店の方には、今度こそ、つる家の旦那さんにお越し頂きとおますなぁ」

つる家、と繰り返して、辰蔵はぽんと音を立てて両の腿（もも）に手を置いた。

「あの、腰を痛めて箱根から引き返さはった旦那さんだすな。一番の難所を越えはったのに、さぞや無念なことだしたやろ」

「へぇ、それはもう」

小田原宿から届いた、種市からの嘆きの文を思い出して、澪はくすっと笑う。

「浅蜊（あさり）の佃煮（つくだに）を届けたかったのに、江戸へ引き返す途中で、同行してはった人らに食べられてしもたそうだす」

ころり禍が去ったあと、種市と文の遣り取りをしたが、腰の具合はすっかり良い、と知って安心したのだ。

「ほな、今からもう一遍、南鍋屋町へ行きまひょか。早いとこ、あの貸家を押さえといた方が宜しおますさかい」

辰蔵はお代を盆に置くと、さり気なく二人を促(うなが)した。

「せっかくやよって、帰りは四ツ橋を通らへん？　私、もう長いことあの辺りを歩いてへんのだす」

野江の提案に、澪は、ああ、と両の掌を合わせる。

「そない言うたら、私もだす」

幼い日、四ツ橋の傍の平右衛門町(へいえもんちょう)の小さな貸家に両親と三人で暮らしていた。狭い溝ひとつ隔てた向こうに新町廓(しんまちくるわ)があって、塀越しに三味線の音や地歌が聞こえた。塗師だった父の伊助(いすけ)の仕事場も兼ねていたその家の佇(たたず)まいを思い出すと、今はただただ懐かしい。きりきりと刺すような痛みではなく、穏やかな波のように懐かしさが溢れるのは、大水から二十年の歳月が過ぎ、日にち薬が効いてくれた証だろうか。

師走を前にした、慌ただしさの前のひと時、小春日和の陽射しのもとを三人はゆっくりと歩く。道頓堀川に沿って西へ、大黒橋(だいこくばし)を渡り、西横堀川(にしよこぼりがわ)を左手に見ながら北へ北へと進む。じきに西横堀川が長堀川(ながほりがわ)と交差する場所に、四つの橋が架けられているのが目に入った。

長堀川に架かる炭屋橋(すみやばし)と吉野屋橋(よしのやばし)、西横堀川に架かる下繋橋(しもつなぎばし)と上繋橋(かみつなぎばし)。盛夏の頃、人々が四つの橋をぐるりと廻る姿は、この街の風物詩となっていた。

「子どもの頃、よう親と夕涼みしたもんだす」

　下繋橋から吉野屋橋と渡って、澪は懐かしさに目を潤ませた。

「澪ちゃんの家は、あの辺りやったねぇ」

　川筋から一本入った平右衛門町の一角を、野江は指し示した。

　享和の大水から二十年、街並みも随分変わってしまったが、新町廓のすぐ傍まで町家が迫る光景はそのままだった。

　女房が示した辺りに何かを見つけたのか、ふいに辰蔵は立ち止まり、目を凝らす。

「ちょっと、ここで待っておくなはれ」

　そう言い置いて、辰蔵は一軒の家を目指して駆けだした。二階が虫籠造りの小さな家、その表格子に、斜めに紙が貼られている。

「澪ちゃん、あれ」

　野江は言って、澪の腕をぎゅっと摑んだ。

　遠目に「かし屋」と書かれているのが読み取れる。家の借り手を探す「貸家札」と呼ばれるものだった。

　明けて、文政六年（一八二三年）如月六日、初午。

浅春の朝、神々の手で磨かれたような青空が頭上に広がっている。

子どもたちは太鼓を打ち鳴らして走り回り、諸藩の蔵屋敷では裃を付けた武士らの出入りが絶えない。御城の馬場は紙鳶（凧）を手にした人々で埋まり、色とりどりの紙鳶のぼりが天へと放たれる。棒手振りは声を嗄らして辛し菜を売り歩き、商家の台所からは小豆飯を炊く香りが漂い始める。大坂の街中が、浮き浮きと弾んでいた。

長堀川からひと筋入った町家でも、あちこちから味噌を擂る音、菜を刻む音がしていた。

一組の夫婦が、こぢんまりした二階家の入口に佇んで、庇の上に掲げられた看板を見上げている。看板に書かれた文字は「みをつくし」、店の中ではすでにお客を迎え入れる準備が整っていた。

「店開けに相応しい上天気になりましたね、澪さん」

源斉に言われて、ええ、と澪は晴れやかな笑みを浮かべる。

遠い昔に両親と暮らした四ツ橋で、当時の家があったのとほぼ同じ場所で、みをつくしを再開できるとは夢にも思わなかった。不思議な廻り合わせというよりも、やはり亡き両親が守ってくれているのだと強く思う。

「ここは新町廓から洩れる明かりで夜でも見通しが利くでしょうが、看板や暖簾のほ

かに、何か目を引くものがあると良いかも知れませんね。例えば、あの辺りに何か

……」

夫の指先が店の軒下を示すのを認めて、澪は、そうですね、と少し考えた。

「屋号入りの大きな提灯などは、どうでしょうか」

女房の回答に、ああ、それは良い、と源斉が頷いたところで、格子の内側からお峰が顔を出した。

「済みまへん、何や勝手口の戸ぉが固うて、動かんようになってしもたんだす」

「そら、あきまへん」

すぐに奥へと急ごうとする女房の腕を、源斉はぱっと捉えた。

「私が見ましょう。澪さんはそろそろ暖簾を」

夫の申し出に、はい、と澪は素直に頷いた。

戸口を大きく開いて、竿を通した暖簾を手に、再び表へ出る。

とんとんとん、と子どもらの打つ太鼓の音が軽やかに近づいてきた。そう言えば、つる家が神田御台所町から元飯田町の俎橋の傍に移ったのも、確か初午だった。

今日からここで、再び料理人として生きていく。

食するひとの心身を健やかに保ち、病知らずで過ごしてもらえるような料理を、心

を込めて作っていく。

決意を胸に、澪は背筋を反らして天を仰ぐ。この上なく澄んだ、美しい蒼天だ。

——苦労に耐えて精進を重ねれば、必ずや真っ青な空を望むことが出来る。他の誰も拝めんほど澄んだ綺麗な空を
澪の人生を「雲外蒼天」だと予言した易者の声を思い出す。

これから先も、艱難辛苦に遭い、厚い雲に行く手を阻まれることがあるかも知れない。それでも、顔を上げ、精進を重ねて行こう。自身にそう誓って、澪は空色の暖簾を掲げた。

「おーい、おーい」

太鼓の音と子らの歓声とに混じって、誰かを呼ぶ声がする。その声に聞き覚えがあるようで、澪は振り返った。

古稀をとうに過ぎたと思しき旅姿の年寄りが、よたよたとこちらへ歩いてくるのが目に映った。

一瞬、息が止まりそうになる。

年寄りは杖を放り出し、声を振り絞った。

「おーい、お澪坊よぅ、俺だよぅ」

間違いない、その老人は、つる家の店主、種市だったのだ。

「お澪坊、俺ぁ、お澪坊に会いたくて会いたくて、とうとう来ちまったんだよぅ」

ここまで長かったんだよぅ、と種市は腰が抜けたようにその場に座り込む。

種市の後ろに控えていた二人の男が、それぞれに顎の紐を外して笠を取った。

泥鰌ひげを蓄えた男は、丸い目をぎゅーっと細め、うん、うん、と如何にも嬉しそうに頷いている。

今ひとりは、結んだ唇をわざと曲げているものの、その双眸は柔らかに、何より愉しげに緩んでいた。

源斉先生、と澪は大声で店の奥にいる夫を呼ぶ。

「つる家の旦那さんと坂村堂さん、それに清右衛門先生がお見えです」

夫の返事も待たずに、澪は土を蹴り、種市めがけて夢中で駆けだした。

初午の蒼天が、遠景ごと、四人を抱き締めている。


（了）

巻末付録　澪の料理帖

愛し（いとし）浅蜊（あさり）佃煮（つくだに）

材料

浅蜊（正味）……250g
生姜……20g
醤油……大さじ3・5
酒……大さじ3・5
味醂……大さじ3・5
砂糖……小さじ1

下ごしらえ

＊殻付きの浅蜊（あさり）を砂出しし、金串（かなぐし）などを用いて剝（む）き身にしておきます。

＊生姜（しょうが）は皮をこそげ、千切りにしておきます。

作りかた

1 厚手の鍋（なべ）に、調味料全部と生姜を入れて火にかけ、ひと煮立ちさせます。

2 1に浅蜊の剝き身を入れ、白っぽくなるまで火を通して、一旦（いったん）、浅蜊と生姜とを引き上げ、別に取っておきます。

3 2の煮汁を、半量になるまで煮詰めます。

4 3に、2で取っておいた浅蜊と生姜を戻して、煮汁がなくなるまで煮詰めたら完成です。

ひとこと

正味は目安で、多少、前後しても構いません。殻付き浅蜊は大粒の方が扱い易く、食べ応えもありますので、粒の大きめのものを60個から70個ほどご用意ください。殻を剝く作業は、慣れないうちは大変です。殻剝き専用の刃物などもあります。くれぐれも、お怪我のないようにお試しくださいませ。

岡太夫（蕨餅）

材料（2人分）

本蕨粉……50g

砂糖（上白糖）……25g

水……200cc

きな粉……適宜

黒蜜……適宜

下ごしらえ

＊冷水（分量外）をたっぷり用意しておきましょう。

＊鍋は底が厚いものをご用意ください。

作りかた

1　ボウルに本蕨粉と砂糖を入れ、少しずつ水を足しながらダマを潰すようにして混ぜ、様子を見つつ残りの水を加えて混ぜ合わせます。

2　1を漉し器などで、一度、漉してから鍋に入れます。

3　2を火にかけて木べらで混ぜながら煮ます。木べらを鍋底につけたまま素早く動かし、火は初め強く、途中から弱くして、ひたすら混ぜ、練り上げましょう。

4　生地が透明感を帯び、充分に粘ったなら火から外します。

5　熱いうちに、水で濡らした匙で食べ易い大きさにまとめて(匙を2本使うとまとめ易いです よ)、冷水を張ったボウルにひとつひとつ、落とし入れて冷やします。水が温くなったら冷水と替えて、ほどよく冷やしてください。

6 すくい上げ、布巾などで水気を取って、器に装います。お好みで黒蜜やきな粉をかけて召し上がれ。

ひとこと

製菓コーナーなどで見かける「蕨餅粉」とは異なり、「本蕨粉」は蕨粉100パーセント。貴重品ゆえにとても高価ですが、その美味しさにはただもう脱帽です。そして、このお菓子は「出来立て」が一番美味しいのです。「あとで食べよう」などとは思わず、数馬のように出来たそばから召し上がれ。

明日の唐汁

材料

おから……150g程度
水……800cc
油揚げ……2分の1枚
牛蒡……50g
蒟蒻……2分の1丁
塩……小さじ2
青葱……適宜
粉山椒……適宜

下ごしらえ

＊おからは洗って布巾に取り、絞ってから擂鉢で滑らかに擂っておきます。
＊油揚げはざっと油抜きし、千切りに。
＊牛蒡は皮をこそげ、ささがきにして酢水に晒し、下茹でします。
＊蒟蒻は匙などで小さめにちぎり、塩で揉んで下茹でします。

作りかた

1 鍋に分量の水を入れて沸騰させ、下ごしらえを済ませた油揚げと牛蒡と蒟蒻を入れて、しばらく煮ます。
2 一旦、火を止めて、おからと塩を加え、再度加熱します。
3 斜めに細切りした青葱を加えて器に装い、お好みで粉山椒を振って召し上がれ。

ひとこと

大坂の料理人、千馬源吾の書いた「年中番菜録」（一八四九年刊行）の中の作り方を参考にしています。出汁も味噌も使わない、塩だけのシンプルな味付けですが、何とも優しい味わいです。

「隣りの子　おらがうちでも　きらず汁」という川柳が残っていますから、皆、大好きだったのでしょう。

病知らずの江戸味噌

材料（出来上がり約1kg）
大豆（乾燥）……200g　白湯……240cc（目安）
米麹（乾燥）……400g　天然塩……50g

下ごしらえ

＊大豆は丁寧に洗って（結構、泡が出ます）、4倍程度のたっぷりの水に浸けて12時間以上、吸水させておきます。一粒割ってみて、中まで吸水しているのを確かめてください。

＊吸水の済んだ大豆を笊に上げ、1時間ほど、しっかり水切りします。

作りかた

1 蒸し器を用意して、蒸気が上がったら、大豆を笊ごと蒸し器に入れ、空焚きに注意しつつ、およそ4時間、蒸します。一粒とって、親指と小指で挟んで軽く潰せたなら蒸し上がりです。

2 蒸し上がったら、そのまま半日～一日（ただし夏場は4時間）置きます。

3 麹を戻しておきます。白湯を入れて麹と混ぜ、2時間ほどおきます（白湯の分量は麹の乾燥具合で異なりますので、加減してください)。

4　3に塩を振り入れ、均一になるよう混ぜておきます。

5　2を再度加熱し、50℃くらいに温まったら潰し易くなります。ボウルに移して、まんべんなく潰します(江戸時代にはないけれど、マッシャーなどを用いると便利です)。

6　4と5とを丁寧に混ぜ合わせ、ぎゅっと玉状に握ります。仮にぼそぼそで握れない時は、様子を見ながら(分量外)白湯を少しだけ足してください。味噌玉(みそだま)をいくつも作ったら、清潔な容器に詰めていき、ぎゅうぎゅう押し込んで空気を抜き、ラップなどで上部を覆います。

7　電気こたつなどを利用して50℃ほどを保ち、熟成させます。様子を見ながら目安は十日ほどです。

ひとこと

お味噌作りには大きく分けて、酵素(こうそ)の働きによるものと、酵母(こうぼ)や乳酸菌などの微生物の働きによるものとがあり、今回のお味噌は前者です。麹を多く、塩を少なくすることで熟成期間は短くなりますが、日持ちはしません。冷蔵庫などで保管の上、早めに食べきりましょう。お味噌は「手前味噌(てまえみそ)」の言葉通り、作り手によって様々です。生麹を用いたり、圧力鍋を使ったり、市販の蒸し大豆で試してみるなど、色々な工夫ができます。また、同じ材料でも、配合を変えたり、作り方を変えることで、全く違うお味噌になります。あれこれ試して、あなたの味を見つけてくださいね。

特別付録

みをつくし瓦版

【インタビュー】りう
【版元】神田永富町 坂村堂

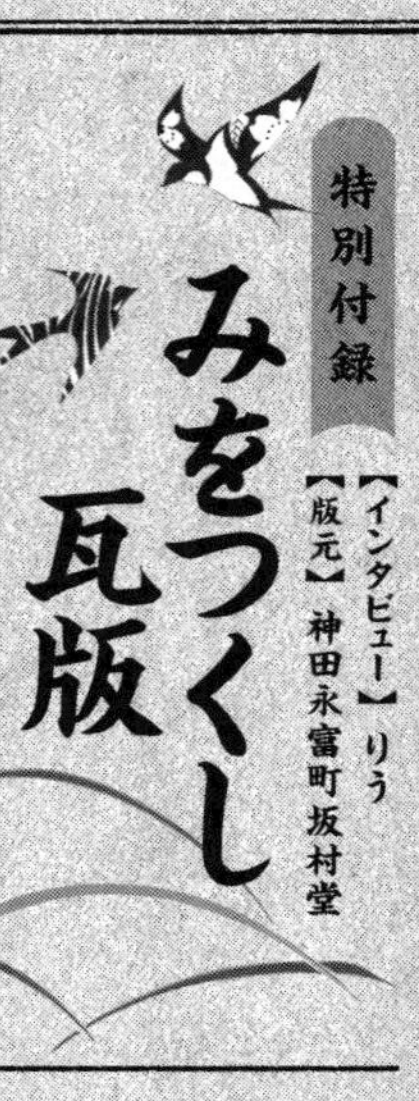

皆さま、大変ご無沙汰しております。つる家の妖怪、もとい、看板娘のりうでございます。シリーズが完結したあとも、沢山のご感想やご質問のお便りを頂戴し、あたしゃもう、本当にありがたくてねぇ(感涙)。お問い合わせの多かった点について、作者に尋ねてみましょうね。

◆◆◆

りうの質問箱 一　易者・水原東西について

澪や野江を占った易者について、人物像を作り上げるのに参考にしたひとは居ますか？

作者回答　江戸時代に活躍した観相学者に、水野南北という実在の人物がいます。「生涯の吉凶ことごとく食より起る」(『修身録』)のように、食に重きを置いた占いをし、好評を博しました。モデルというわけではありませんが、作中の易者、水原東西を形作る際、参考にさせて頂きました。南北先生、感謝。

りうの質問箱 二　江戸時代の庶民のお菜について

江戸時代の庶民はどんなお菜を食べていましたか？　何か文献があれば教えてください。

作者回答　庶民のお菜を知る上で有力な手がかりになるのが、いわゆる「おかず番付」。江戸時代には様々なお菜の番付表が出回りました。たとえば「日用倹約料理仕方角力番附」を見れば、「きんぴらごぼう」「煮まめ」「ほうれん草ひたし」等々、今と変わらぬお菜の数々が登場し、ホッとします。

りうの質問箱◆三◆ **続編の予定は？**

登場人物たちを身近に感じて別れ難いです。特別巻のあと、続編の予定はありませんか？

作者回答 こうしたお問い合わせを頂戴する度に「何て幸せなことだろう」と思いますし、作者冥利に尽きます。登場人物たちに愛情を注いで頂いたことに、心より感謝いたします。名残惜しいのは私も同じですが、この特別巻ののちは、皆さまのお心の中を、澪たちの住まいとさせてくださいませ。

◆◆◆

りうの質問箱にお便りを頂戴する度、あたしゃ寿命を延ばして頂きました。つる家一同、これからも、皆さまのご多幸を祈り続けますからね。（りう）

作者より御礼 私ごとですが、お陰様で作家になって十年の節目を迎えることが出来ました。これも支えてくださる読者の皆さまの存在があればこそです。厚く御礼を申し上げます。節目の年に想いを込めて、この特別巻をお届けします。

これからも執筆を続けられるよう、思いきって眼の手術に踏み切ることにしました。暫くはお手紙のお返事やサイン会などがかないませんが、どうかお許しくださいませ。

シリーズは完結しましたが、辛い時、悲しい時、試練の時に、澪たちがあなたの人生の伴走者となれますように。

心からの感謝を込めて

「みをつくし料理帖」シリーズ著者　**髙田郁**　拝

本書は時代小説文庫（ハルキ文庫）の書き下ろし作品です。

主要参考文献
「眼鏡の社会史」白山晰也著（ダイヤモンド社）
「誰でもできる手づくり味噌――はじめてでもできる極上の味」
永田十蔵著（農山漁村文化協会）
「みそ文化誌」全国味噌工業協同組合連合会

た 19-20

花だより　みをつくし料理帖 特別巻

著者　髙田 郁

2018年9月 8 日第 一 刷発行
2025年2月28日第十一刷発行

発行者　角川春樹

発行所　株式会社 角川春樹事務所
〒102-0074 東京都千代田区九段南2-1-30 イタリア文化会館

電話　03(3263)5247[編集]　03(3263)5881[営業]

印刷・製本　中央精版印刷株式会社

フォーマット・デザイン＆シンボルマーク　芦澤泰偉

ISBN978-4-7584-4197-1 C0193

http://www.kadokawaharuki.co.jp/[営業]
fanmail@kadokawaharuki.co.jp[編集]　ご意見・ご感想をお寄せください。

〈 髙田 郁の本 〉

みをつくし料理帖シリーズ

料理だけが自分の仕合わせへの道筋と定めた澪の奮闘と、それを囲む人々の人情が織りなす、連作時代小説の傑作！

八朔の雪
花散らしの雨
想い雲
今朝の春
小夜しぐれ
心星ひとつ
夏天の虹
残月
美雪晴れ
天の梯
花だより（特別巻）

みをつくし献立帖

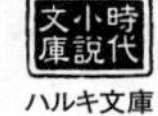

ハルキ文庫